Uma experiência com o sagrado

Uma experiência com o sagrado

Sentindo a beleza divina no cotidiano

JOEL CLARKSON

Tradução de Almiro Pisetta

MUNDO CRISTÃO

Os textos bíblicos foram extraídos da *Nova Versão Transformadora* (NVT), da Tyndale House Foundation, salvo as seguintes indicações: *Almeida Revista e Atualizada*, 2ª edição (RA), da Sociedade Bíblica do Brasil; e *Nova Versão Internacional* (NVI), da Biblica, Inc.

Imagem de capa: Mickey O'neil / Unsplash

CIP-Brasil. Catalogação na publicação
Sindicato Nacional dos Editores de Livros, RJ

C546e

Clarkson, Joel
Uma experiência com o sagrado : sentindo a beleza divina no cotidiano / Joel Clarkson ; tradução Almiro Pisetta. - 1. ed. - São Paulo : Mundo Cristão, 2024.
208 p.

Tradução de: Sensing God
ISBN 978-65-5988-287-8

1. Vida espiritual - Cristianismo. 2. Crescimento espiritual - Cristianismo. 3. Experiência (Religião). 4. Sentidos e sensações - Aspectos religiosos - Cristianismo. I. Pisetta, Almiro. II. Título.

23-87129 CDD: 248.2
CDU: 27-587.7

Meri Gleice Rodrigues de Souza - Bibliotecária - CRB-7/6439

Categoria: Espiritualidade
1ª edição: janeiro de 2024

Edição
Daniel Faria
Revisão
Natália Custódio
Produção e diagramação
Felipe Marques
Colaboração
Ana Luiza Ferreira
Marina Timm
Capa
Jonatas Belan

Publicado no Brasil com todos os direitos reservados por:

Editora Mundo Cristão
Rua Antônio Carlos Tacconi, 69
São Paulo, SP, Brasil
CEP 04810-020
Telefone: (11) 2127-4147
www.mundocristao.com.br

Para minha mãe,
que me ensinou os primeiros passos
da maravilhosa dança de Deus

SUMÁRIO

PREFÁCIO

O artista é talhado para um banquete.

Pratico minha arte na realidade criada por essas esperanças de um banquete de casamento do Cordeiro (Ap 19.9). Minerais tais como azurita e malaquita são pulverizados e espalhados em múltiplas camadas em papel ou tela sobre ouro. Essa extravagância e atitude podem ser interpretadas com ceticismo na esfera da arte contemporânea, as próprias águas em que vou nadando, ou até mesmo na academia de belas-artes. "Acaso a arte não significa ser sério e sombrio?" "Acaso a arte não significa transgressão?" "Eu achava que a arte visava ridicularizar a sociedade."

Em escolas de belas-artes no mundo atual, você é convidado a desconstruir a si mesmo. Uma "crítica" acontece quando seus pressupostos são descontruídos. Ouvi alunos dizendo que são aconselhados a não usar os termos *beleza* e *criatividade* porque eles conotam um imperialismo do passado. Embora as escolas cristãs não sejam tão extremas, a ideia de "encontrar sua voz" e ser treinado para ser um "artista bem-sucedido" está longe do que esses programas podem prometer, e muitas escolas cristãs imitam escolas seculares ao tentar preparar os alunos para o "real" mundo da arte.

Muita gente desconhece o mundo da arte contemporânea; a palavra *arte* pode evocar obras de artistas comercialmente bem-sucedidos, tais como Thomas Kinkade. Numa esfera tão transicional como essa, a questão do Banquete é reduzida e, digamos, transformada em mercadoria para uma mentalidade de consumo. Arte de *shopping center* é como *fast-food*; talvez seja a arte mais acessível para o consumo da maioria das pessoas, mas não se deve consumi-la de modo exagerado. Em vez disso, somos talhados para um Banquete.

Como atesta este livro, todos os seres humanos, não apenas os artistas, são talhados para um Banquete. De fato, toda a criação geme para ter acesso a ele (Rm 8.22). Somente por meio da confiança em nossos sentidos podemos descobrir o caminho definitivo rumo ao novo, mediante a refeição preparada na presença de nossos inimigos (Sl 23.5).

Êxodo 31 nos conta que Deus concedeu a Bezalel e a Aoliabe, dois artistas cheios do Espírito do Deus, a habilidade de construir e também de ensinar. Nossas convicções sobre construir são testadas mais a fundo quando ensinamos, conduzindo outros pela jornada rumo ao novo. Percebo que os alunos estão famintos de conhecimento sensorial. O que se encontra além de nossa visão? Para que serve a arte? Se não houver esperança de que nossos sentidos ganharão vida nessa jornada, qual é então o motivo do ensino? Se, como diz Joel Clarkson, na educação está presente um "aroma que convida" para o Banquete, isso então merece ser seguido e ensinado. Mesmo que seja pequena a possibilidade de que essa realidade exista, vale a pena motivar os alunos a tentar alcançá-la. A arte existe para essas indagações mais profundas; às vezes ela até cria um anseio por essa jornada mais aprofundadora.

Eu pinto em meu isolado estúdio em Princeton usando materiais *Nihonga* (estilo de pintura japonesa), mas visando um público de arte contemporânea. Meu público é considerado sobretudo "secular". Os minerais azurita e malaquita são pulverizados e misturados manualmente com *nikawa* (cola de couro animal) e espalhados repetidas vezes sobre papel japonês feito à mão. Esse conhecimento somático leva à ação intuitiva, e uma experiência de mais de trinta anos flui num único traço. Em circunstâncias assim eu "experimento Deus" enfrentando as fraturas de nossos tempos, de violência e perdas. Essa visão prismática elimina a dicotomia de secular *versus* sagrado: como todas as coisas provêm do sagrado (embora nós as distorçamos criando ídolos em vez de dar a Deus a glória), a arte pode sintonizar-se com nossos sentidos, apontando para o Banquete.

Como criamos, em preparação para o Banquete? Em tempos como estes de lutas mais profundas, eu paro a fim de considerar o Banquete por vir, inspiro o aroma do novo. Fazer, ensinar, viver, tudo isso é amar. Num mundo em que muitos atos de violência são chamados de desprovidos de sentido, este livro ilumina o caminho para uma experiência totalmente sensorial, condição hoje indispensável para curar nossa cultura fragmentada.

MAKOTO FUJIMURA, artista plástico

INTRODUÇÃO

Acumular terra boa sob as unhas dos sentidos

No fim do meu ensino médio, minha família mudou-se do calor e da poluição de um subúrbio no Texas para a quietude de uma casa no Colorado pressionada contra o sopé das Montanhas Rochosas. Pela primeira vez na vida, meus pais decidiram ter nossa casa nova construída desde o alicerce, e durante meses aguardamos no calor do Texas notícias semanais sobre nosso bangalô no Colorado, enquanto os construtores lentamente davam à luz a casa. Nenhum detalhe foi ignorado; dos móveis da cozinha aos florais papéis de parede, discutíamos cada minúcia em família, passando adiante com entusiasmo nossas escolhas. Quando finalmente percorremos a interminável estrada de terra numa ensolarada manhã de verão e chegamos à entrada da garagem, tudo era exatamente como havíamos imaginado, desde os altos pinheiros e os tremulantes álamos até a varanda que circundava toda a casa, destacando as enormes janelas dispostas de modo a exibir a íngreme subida do Monte Herman mais adiante. Tudo era perfeito.

Tudo, quero dizer, exceto o gramado.

Chamar aquilo de gramado teria sido, talvez, enganador, pois a vasta área aberta na frente da casa era pouco mais que uma extensão de terra, num gritante e desagradável contraste com o idílico vale na montanha que cercava a construção por todos os lados. O terreno havia sido aplanado e nivelado, o que constituía seu único atrativo, e se detinha indiferente diante da casa como um hóspede não convidado. Nossa casa anterior a essa ostentava meio acre de área relvada com espaço para correr e explorar, e, contrastando com isso, a frente da nova casa destoava de todo o resto. Em razão de alguma falha na comunicação, o espaço na frente da casa permanecera inacabado, o único aspecto incompleto de nosso refúgio nas montanhas. Vários dias teriam de passar até a chegada da grama que cobriria o terreno, transformando aquele canteiro de obras num adequado campo gramado.

A estranha dissonância cognitiva do quintal inacabado funcionou como uma caixa de ressonância para a enxurrada de novas experiências que me surpreenderam nos primeiros dias lá. Tudo era diferente; longe da úmida, verdejante paisagem do centro do Texas, esta paisagem era severa e impressionante, erguendo-se em paredões íngremes e projetando-se em ângulos estranhos. O ar gelado e árido da noite afligia minha respiração, meus pulmões não tendo ainda se acostumado com a altitude de mil e seiscentos metros. Em vez de densos carvalhos com copas frondosas e húmus macio embaixo deles, sempre-verdes finos como lápis erguiam-se sobre o chão de esboroável arenito da floresta coberto de espinhentas agulhas de pinheiros. À noite, as estrelas se projetavam em nossa direção com uma atenção clara, não obscurecida pelo pequeno clarão das luzes da cidade ao qual estávamos tão acostumados. Toda essa experiência era fascinante, mas eu me sentia mantido à distância. Queria me aproximar, queria abraçar essa nova orientação do meu mundo, e no entanto, a exemplo de meus pulmões, minhas articulações continuavam desajustadas, sempre rangendo mais do que o normal para acompanhar a corrente constante de afluentes novidades.

Ainda me lembro do caminhão aberto que, poucos dias depois da mudança para a nova casa, chegou roncando na entrada da garagem, parecendo um enorme monte móvel. As placas de grama encomendadas por meu pai estavam dispostas em pilhas de dez e tremeram como num terremoto quando o motorista desligou o motor. Com muito cuidado, cada estrado foi retirado da carroceria do caminhão e todos foram colocados em perfeitas fileiras na frente da casa, aguardando ali pacientemente até que alguém viesse e destinasse as placas de grama para sua ocupação final.

— O que vamos fazer com essa grama? — perguntei a meu pai.

— Plantá-la, é claro — respondeu ele.

E no dia seguinte, foi o que fizemos. Peça por peça, carregamos as placas da viçosa grama do Kentucky e começamos a entrelaçá-las no vasto espaço poeirento, primeiro revolvendo a terra da superfície até alcançar a camada úmida embaixo e ali espalhando fertilizante, e depois assentando, com muito cuidado e método, uma por uma as placas de grama. Nós as distribuímos como tijolos, como se estivéssemos construindo um muro horizontal contra a terra, pressionando uma placa contra a outra com firmeza, de modo que as bordas se confundissem entre si formando fileiras perfeitas e ininterruptas.

No início, eu executava esse trabalho lenta e desajeitadamente, pegando com cuidado uma placa por vez e segurando-a afastada de mim para evitar manchas indesejadas; mas logo uma placa virou duas e depois três, e não demorou muito para que meu irmão e eu nos desafiássemos um ao outro competindo para ver quem conseguiria carregar mais grama de uma só vez, para grande desgosto de meu pai. O azul de nossos *jeans* logo ganhou um tom esverdeado quando rolamos sobre o viçoso tapete do gramado que se estendia por mais de dez metros sobre o espaço antes deserto. Nossas unhas se encheram do encardido tom escuro do solo, e os rostos de certo modo assumiram a sujeira de uma alegria barrenta que só pode vir do contato íntimo com o solo. Tornamo-nos amigos íntimos da terra, revolvendo a velha e endurecida argila e cobrindo-a com macias placas de grama. Sabíamos que, fazendo isso, a grama recém-plantada absorveria mais depressa seus nutrientes; mal sabíamos nós, todavia, que ela já estava começando a nos nutrir, plantando a essência do solo do Colorado em nosso coração e nos convidando a fazer parte dela.

Quando o sol começou a se pôr, plantamos a última placa de grama e contemplamos nossa obra, maravilhando-nos satisfeitos diante do ondulante mar de grama esmeralda, antes de entrarmos em casa e tomarmos um banho para depois jantar. Embora todos nós nos tivéssemos lavado direito, durante dias ainda tínhamos resquícios de terra nos cabelos e embaixo das unhas. Em retrospectiva, isso parece uma imagem adequada daquilo que nos acontecera. Tornando-nos íntimos da paisagem montanhosa, estabelecendo um contato tangível com a terra, permitindo que ela se tornasse parte de nossa experiência, algo havia mudado de modo irreversível. Nós já não tínhamos a menor dúvida sobre a nossa nova casa, situada lá longe; pelo contrário, fomos convidados a participar dela. Aquele dia especial em que plantamos o gramado da frente de nossa casa tornou-se a porta de entrada para anos de adoráveis encontros com uma paisagem do Colorado que até hoje guardo no coração, uma casa que evoco na intimidade de seus próprios elementos naturais mesmo estando a milhares de quilômetros longe dela, do outro lado do oceano.

Repare que não precisei nutrir pensamentos profundos sobre minha nova casa, tentando chegar a algum entendimento dela à distância; o que precisei foi entrar em contato com ela concretamente, deixar que os sentidos mergulhassem na essência dela para receber de modo palpável, ao alcance da mão, o que não conseguia receber à distância. Precisei fazer que *meus sentidos se envolvessem* na boa obra do encontro.

Sentindo a presença de Deus

Como cristãos, ansiamos por mais significado em meio a esta vida atarefada. Muitas vezes temos a sensação de que estamos perdendo alguma coisa, mas não conseguimos descobrir concretamente o que é. Vamos à igreja e tentamos alcançar um sentimento de espiritualidade mais profunda, mas assim que saímos de lá o sentimento se esvai, e estamos de volta à estaca zero. Sabemos o que pensamos sobre Deus e no que devemos acreditar, mas aquilo em que acreditamos muito raramente invade o mundo real e estabelece seus ritmos em nossa vida. Temos *fome* de algo mais, *sede* de beber águas mais profundas, tentando *tocar* a face do divino. Queremos *ver* a presença de Deus em ação em cada cantinho de nossa vida. Não é intrigante que muitas de nossas maneiras de falar sobre o crescimento na fé sejam *metáforas sensoriais*?

Pode-se facilmente constatar isso em cânticos contemporâneos, recheados que estão desses adjetivos: "Tenho *fome* / Mas o teu amor me *satisfará*". Ou que dizer de "Desesperado por um *toque* do céu"? Ou então sempre aparece o clássico, "Abra os *olhos* do meu coração / Quero te ver".[1] Por que será que usamos essas expressões sensoriais no culto? Não resta dúvida de que elas são inspiradoras e expressivas. Poderia também ser que essas imagens são fortes porque os sentidos moldam nossa experiência e visão de mundo de tal forma que não podemos evitar sua influência sobre nós, mesmo quando estamos elevando nosso culto de adoração ao Deus vivo? Falando de modo ainda mais direto, que tal supor que isso se deve ao fato de o próprio Deus nos ter dotado com esses sentidos para conhecê-lo num nível mais íntimo e profundo?

Lembro-me de um momento em meus primeiros anos de faculdade, quando estava em casa durante um breve recesso, sentado na varanda da frente com minha mãe depois do jantar. Eu estivera compartilhando com ela minhas dúvidas, o crescente sentimento de incerteza e confusão no meio da azáfama e constante mudança de minha vida na universidade. Lembro-me de dividir com ela como eu tinha participado de um culto religioso durante a semana anterior e saído de lá sentindo-me completamente vazio e indiferente.

— Eu simplesmente não sinto a presença de Deus, mãe. É como se ele estivesse muito longe de mim.

Ela me encarou, surpresa, e depois riu.

— Isso é engraçado, porque antes esta noite, acendemos velas para o jantar e ouvimos algumas de suas músicas preferidas. E depois eu lhe servi uma refeição preparada em casa, e tenho certeza de que você me disse que estava muito deliciosa e era nutritiva. E agora, você e eu estamos aqui na agradável brisa de uma noite de verão, contemplando um deslumbrante pôr do sol sobre os pinheiros. É bonito, não é?

Ela deu-me gentilmente uns tapinhas nas costas e, juntos, contemplamos maravilhados um brilhante sol poente desparecendo por trás dos contornos de pinheiros no azul profundo de uma noite de agosto.

Nunca me esqueci daquele momento e guardei suas lições no fundo do coração durante muitos anos. Quando sinto a tentação de cair no desespero ou na tristeza, de questionar a fé, ou quando me deparo com perguntas irrespondíveis sobre o universo, eu paro, levanto, vou à cozinha e preparo uma xícara de chá ou de café. Como alguma coisa nutritiva e revigorante, e depois ouço alguma de minhas músicas preferidas. Às vezes, já me sentindo melhor, saio para uma caminhada e deixo que o ar fresco me renove as forças. Exatamente como na infância, quando ajoelhado na terra plantei as placas de grama fileira por fileira, deixo-me entrar em contato com o mundo em si, forçando-me a ficar mais perto dele, e com isso me aproximo mais da presença do Deus oculto em cada cantinho.

Nos últimos anos, alguns pesquisadores de microbiologia vêm defendendo o benefício de expor crianças ao contato com a terra quando ainda novinhas, mostrando como a interação com germes presentes na sujeira do dia a dia reforça o sistema imune e até proporciona enzimas que facilitam num corpo infantil a resistência a alergias e doenças crônicas como a asma. Embora a tendência seja, naturalmente, evitar que os filhos fiquem encardidos e imundos, a pesquisa tende para outra direção: Invistam na bagunça, diz ela. É na verdade mais perigoso, dizem alguns peritos, exagerar na higiene, protegendo os filhos contra os próprios elementos que lhes proporcionam os meios para seus sistemas imunológicos se reforçarem e crescerem naturalmente. Crianças sadias, sugere essa linha de raciocínio, são aquelas que estão acumulando terra sob as unhas.[2]

E se nossa vida na fé precisa da mesma coisa? E se a resposta que estamos buscando não se limita a crer com mais fervor, a orar com mais prazer ou a ter mais pensamentos santos, mas também implica deixar que esses desejos sejam intensificados acumulando a boa argila terrosa do abençoado mundo de Deus sob as unhas dos sentidos? E se, em vez de simplesmente tentarmos "ser espirituais", permitíssemos que o nosso mundo espiritual fosse informado pelas experiências sensoriais do mundo que nos cerca? Talvez você tenha sentido que, apesar do que faz, apesar do afinco com o qual exercita os músculos de sua fé, eles simplesmente não crescem. Talvez sinta que eles estão até se atrofiando, perdendo a pouca massa que já tinham, tornando-se mais fracos, dia após dia. Você se sente mais distante do Senhor, e não encontra o caminho de volta. Posso sugerir que a resposta talvez não seja tentar de modo mais assíduo, mas sim tentar alguma outra coisa diferente? E se o que você está tentando alcançar estiver escondido perfeitamente à vista em tudo ao seu redor?

Essa é a jornada deste livro: descobrir como Jesus está nos procurando nos pontos de contato sensorial implícitos em todas as partes da vida. Jesus está nos chamando a sujar as mãos no trabalho da fé enraizado no solo do visível, do tangível e do palpável — e a deixar que esse trabalho engajado forme e informe nosso testemunho perante um mundo que desesperadamente busca a restauração de Deus. Neste livro, eu o convido a caminhar comigo nessa exploração, a acumular terra sob as unhas, não apenas a provar, mas a tocar, ouvir, cheirar e ver que o Senhor é bom; e ver que a bondade dele nos aguarda em inúmeras oportunidades sensoriais no mundo a cada momento da vida.

A abrangência de nossa jornada

Muitos de nós aprenderam a menosprezar a experiência, a pensar com cautela sobre como os sentidos podem nos ensinar.

Se existe outro caminho, se nossos sentidos podem, de fato, não só nos ajudar na vida espiritual, mas realmente nos conduzir a um encontro com o próprio Jesus, então qual é o precedente desse modo de pensar da prática cristã? Qual é o modelo da teologia que sustenta essa convicção? Nos primeiros dois capítulos do livro, exploraremos o relacionamento entre Jesus e seu belo mundo; veremos como ele é a fonte e o fim de toda beleza e como nosso coração sacramentalmente nos ajuda a dar sentido àquilo com que deparamos mediante os sentidos e a transformar essa experiência em louvor a Deus.

No restante do livro, exploraremos a totalidade do mundo sensorial, contemplando-o em exemplos que se relacionam com cada um dos sentidos e vendo como eles podem nos ajudar a encontrar Deus. Em cada um desses capítulos, eu abordo os sentidos usando exemplos explícitos. Menciono numerosos poemas e poetas, teólogos, escritores, músicos, canções, excertos de romances, experiências com comida e bebida, lugares preferidos e muito mais. Faço isso porque os sentidos são descobertos por meio da *experiência*, e meu desejo é que esses exemplos ajudem a avivar seus sentidos à medida que lê sobre eles. Quero que este livro seja para você mais do que um recurso; quero que ele lhe forneça muitos novos conceitos e o convide a participar do mundo em si mediante seus sentidos. Os exemplos que dou foram, sem pedir desculpas, retirados das coisas sensoriais que me deliciaram, inspiraram e convenceram. Espero que você veja neles um possível paralelo com as coisas que o deliciam, inspiram e convencem.

Além disso (e aqui talvez tenhamos o que mais importa), começo cada capítulo com uma história extraída de experiências que vivi. Faço isso porque acredito, como você descobrirá mais intimamente no capítulo sobre o sentido do tato, que temos uma capacidade maior de praticar nossos padrões sensoriais em mútuas conversas íntimas. Tornamos acessível um entendimento do mundo por meio de nossa comunidade e comunhão compartilhada, coisa que não podemos fazer por conta própria. Espero que você possa ver como isso é verdadeiro para mim no modo como apelo para autores, artistas, pensadores, líderes, amigos e membros da família ao longo das páginas deste livro para explicar minha jornada em busca de sentir Deus. E pretendo encorajá-lo a identificar pessoas que não podem ser apresentadas neste livro — desde amigos e membros da família até famosas figuras públicas e pensadores de todo tipo — que possam fazer o mesmo por você. A mais profunda interação espiritual por meio dos sentidos acontece na comunhão com a grande nuvem de testemunhas que nos incentivam a avançar em nossa jornada.

Finalmente, escrevo este livro alimentando a esperança de que ele despertará a sua imaginação em prol daquilo que ele poderia significar para a orientação de seus sentidos com respeito ao sagrado. Peço a Deus que você se torne mais consciente da abrangência dos sentidos na experiência cristã, particularmente na sua vida; que se sinta equipado para entender mais e melhor como cada sentido abre um relacionamento com Jesus; e que se sinta instigado a pôr em prática os seus sentidos, tanto em benefício de sua própria fé quanto em benefício dos outros ao seu redor.

O que este livro *não* é

Uma das práticas mais antigas da teologia, remontando aos primórdios da igreja, é a expressão do que se denomina *teologia apofática*. O termo deriva da palavra grega que significa "negar", e a prática contrasta com a *teologia catafática*, que deriva da palavra grega que, como é de se esperar, significa "afirmar".[3] Muitos pais da igreja supuseram que, embora haja coisas que podemos positivamente dizer acerca de Deus e os sustentáculos da realidade, o mundo nem sempre se encaixa em categorias fáceis, e às vezes a melhor maneira de entender alguma coisa é não declarar o que ela é, mas sim dizer o que ela *não* é. Agostinho, Gregório de Nissa e muitos dos pais da igreja empregaram essa *via negativa* em sua teologia, e essa via sobreviveu como um poderoso instrumento retórico utilizado dentro e fora da prática cristã.

É no espírito da *via negativa* que pretendo articular a abrangência deste livro. Uma vez que os sentidos são por natureza formados a partir de impressões, experiências e sentimentos, é difícil defini-los com vigorosas afirmações declarativas. Tendo em mente esse conhecimento, aqui apresento meu guia apofático do que este livro *não* é:

Este livro não é um *guia detalhado de como agir* a fim de usar os cinco sentidos. Como expliquei antes, meu desejo é caminhar ao seu lado como amigo e defensor, guiá-lo por uma passagem na qual você encontra vários pontos de contato com a interação sensorial. Minha intenção não é instruir sua mente sobre *o que pensar*, mas sim avivar sua imaginação sobre *como interagir*. Este não é um livro preocupado sobretudo com a indicação de modos corretos ou errados de botar os sentidos para funcionar, mas sim com a conscientização de uma multidão de modos diferentes pelos quais Deus pode encontrar-se conosco por meio de nossa percepção sensorial. Sinceramente espero que, lendo este livro, você não o largue achando que já está de posse de algum conjunto de regras certas e exclusivas para praticar sua espiritualidade por meio dos sentidos, mas sim sabendo que recebeu uma fundamentação de ideias sobre a qual pode construir usando seu discernimento — e mediante a obra do Espírito Santo em sua vida.

Por não ser este livro um manual do usuário dos sentidos, ele também não pretende funcionar como um *relato abrangente* de como os sentidos são aplicados na vida de um cristão. De fato, muito no espírito de despertar a imaginação, em cada capítulo sobre os padrões dos sentidos intencionalmente não enfoco mais do que um ou dois aspectos de determinado sentido de modo a munir você com *estudos de casos que exemplificam uma dentre as muitas maneiras de aplicar aquele sentido.* Por exemplo, no capítulo sobre a audição, limito-me a falar de música e não discuto a palavra falada. Isso não significa que não valorizo a palavra falada nem que acho que não há muito a dizer sobre ela, mas isso se explica pelo fato de eu ser músico, e essa vocação me proporciona uma percepção particular do modo como a música, como um subconjunto da audição, pode ampliar nossa participação na obra de Cristo no mundo. Em outro capítulo, o que analisa o tato, concentro-me no contato humano, porque este livro trata do encontro com *Jesus* por meio dos sentidos, e preferi enfocar a maneira pela qual o próprio Jesus usou o tato como meio de levar cura e vida para as pessoas que o cercavam. Todavia, existe todo um mundo de toques além do contato, e espero que algumas das ideias do capítulo em questão venham a estimular você a pensar em outras maneiras pelas quais o toque poderia nos levar a participar do glorioso mundo de Deus. Às vezes um capítulo pode até conter sentidos sobrepostos ou uma breve alusão a um sentido que é tratado por inteiro num outro capítulo; talvez com isso você possa se dar conta de como rapidamente os sentidos interagem entre si e como raramente utilizamos apenas uma faculdade sensorial por vez, mas pelo contrário combinamos múltiplos aspectos para interagir com o mundo de forma multifacetada. Tudo o que trago à tona neste livro eu o apresento apenas como um trampolim, um recurso para capacitar sua imaginação a aplicar estas ideias além do que digo aqui. Lembre-se, meu desejo não é lhe dar respostas, mas sim ajudá-lo a obter ferramentas para imaginar, ponderar e interagir.

O objetivo deste livro não é ser uma *declaração doutrinal exclusiva* sobre os sentidos, tampouco visa ele ser lido como um tratado teológico. Espero que este livro fale com você no espaço que você já ocupa, para encorajá-lo a pôr em prática padrões sensoriais exatamente onde você se encontra. Como você, eu provenho de um espaço teológico particular, e é muitíssimo provável que eu traga à tona neste livro aquilo que aprendi naquele espaço. Todavia, menciono pensadores, autores e artistas de minha tradição e de fora dela, incluindo pessoas de diversos contextos — ortodoxos, católicos, evangélicos, calvinistas e outros mais. Cada um desses pensadores tem um ponto de vista único a oferecer, e cada um influenciou meu modo de pensar sobre a minha fé. Sou melhor pela amplitude da influência deles. Espero que, da mesma forma, à medida que lê este livro, seja qual for a sua tradição, você descubra ideias interessantes que vibrem com sua prática teológica e a ajudem a crescer.

Finalmente, este livro não pretende fornecer uma resposta definitiva sobre como experimentamos o divino por meio dos sentidos. *Agora, espera aí*, diz você. *Que tipo de artimanha é esse? Não é essa a ideia por trás do próprio título deste livro?* Será que estou brincando, tentando lhe vender uma lista de produtos? Deixe-me explicar. Este livro está cheio de conceitos que desembocam na ideia do que poderia ser uma teologia dos sentidos. Mas eu quero que você, querida leitora ou querido leitor, me dê ouvidos quando digo que este livro é apenas um ponto de partida. E ele *deve* ser isso; pois se os sentidos devem ser nosso guia no caminho ao encontro de Jesus de uma forma única, então você deve tomar o que aprender nestas páginas e pô-lo em prática através de sua *experiência*. Os sentidos são sua própria espécie de comunicação acerca da presença de Deus no mundo, uma comunicação que difere daquilo que se pode relatar por meio de palavras e ideias. Os sentidos comunicam por meio de um *encontro*. Utilizamos a mente para captar complicadas teorias e doutrinas de fé. Mas se os sentidos de algum modo nos levam a um conhecimento de Deus ou encontro com ele, então não há palavras que eu possa dizer aqui capazes de expressar o que somente se pode ter por meio do conhecimento que sua experiência sensorial lhe diz. Posso lhe apresentar um perfeito modelo teórico para uma teologia dos sentidos, mas se você não ativar os sentidos e não os envolver nas trincheiras do mundo tangível ao seu redor, procurando descobrir Cristo ali e reagir à presença dele, este livro não servirá para nada. Espero que o fugaz sabor que você perceber neste livro sirva apenas para deixá-lo com mais apetite e o envie para o mundo a fim de que possa jantar na farta mesa do banquete que Deus preparou para os nossos sentidos.

O que é maravilhoso é que os seus sentidos já estão interagindo com o mundo de Deus de mil maneiras todos os dias. Desde as pessoas com quem você interage até a natureza que o cerca, desde as refeições que você consome até a música que ouve, minha esperança é que este livro lhes proporcione *clareza para identificar* os pontos de contato com o mundo sensorial que moldam sua vida dia após dia; a *percepção para discernir* como cada uma dessas áreas pode proporcionar uma interação com o criador do mundo que está falando através de sua criação; e, o que é mais importante, a *coragem de envolver-se* com aqueles pontos de contato e contemplar por meio deles a glória de Deus.

Agora que você conhece a abrangência da jornada, eu o convido a se juntar a mim. Vamos lá, vamos acumular um pouco de terra sob as unhas.

1
QUE A BELEZA DESPERTE
A glória de Deus na matéria do mundo

A terra está cheia de limiares onde a beleza
aguarda o maravilhamento de nosso olhar.

John O'Donohue

Pude sentir o gosto do calor antes de sentir o calor. Tinha havido um sinal pairando no ar mesmo com o ar-condicionado a todo o vapor, e quando meu pai desligou o motor, só foram necessários uns segundos para que o calor sufocante invadisse o carro. Tinha um gosto pegajoso, cheio de pó e cedro e água de lagoa; e logo, devia se tornar tão natural como a respiração.

Minha família se mudara para um lugar no meio do nada. Bem, na verdade, no meio do Texas. Os moradores locais diriam que se você pegasse um alfinete e o cravasse no meio do mapa do Texas, acertaria Walnut Springs. Exatamente lá naquela terra de ninguém, entre a suave e verdejante paisagem do leste do Texas e a chocante vastidão desértica do oeste daquele estado, Bosque County teimosamente ocupava o vão, qual ignorada, desgraciosa irmã entre o leste e o oeste. E foi para esse notório limbo que minha família se mudou, para morar perto de minha avó.

É claro que, sendo eu uma criança de sete anos, não tinha idade suficiente para discernir um tipo de paisagem de outro, ou avaliar aquele calor tão palpável que se podia mastigar e engolir. Para mim tudo era deliciosamente novo: uma ampla casa de fazenda com um sótão grande o suficiente para permitir que minha imaginação infantil passeasse por ele, em vez de nossa casinha de antes: uma estrutura colonial parecida com todas as outras caixas de dois andares daquela rua. A propriedade atrás daquele casarão, um verdadeiro território por si só, estava contida apenas pelos limites do arame farpado nas margens dos duzentos acres que compunham a propriedade de minha avó.

Não havia parte alguma daqueles duzentos acres que eu não amasse de todo o coração. Meus irmãos e eu brincávamos ao redor do "tanque" — um pesqueiro artificial — com ruidosa alegria, nunca conseguindo ficar enxutos por qualquer longo espaço de tempo. Em outras ocasiões, caminhávamos pela estrada de terra que se estendia de nossa casa até o fundo da propriedade, desviando dos fundos sulcos provocados por pneus e fossilizados em moldes endurecidos pelas intempéries. Tendo chegado lá, saíamos da estrada, fazendo uma excursão sorrateira através do alto capim do Texas, sempre cautelosos com cobras e outras criaturas ocultas. No fim, descíamos a estreita senda de terra vermelha do outro lado do riacho e subíamos a margem escorregadia, e então chegávamos à nossa cabana.

A cabana repousava no topo de uma pequena saliência, mais ou menos um metro e meio acima da linha d'água, embora para meus olhos infantis parecesse tratar-se de uma subida íngreme de quase quatro metros. Era uma coisa estranhamente fascinante: a pequena estrutura cúbica era composta de estalantes traves de cedro, material que tínhamos resgatado de uma pilha de madeira a ser usada para fazer mourões de cerca. O teto era um projeto improvisado que consistia numa variedade de capins secos, que no verão sempre acumulavam uma quantia de pólen suficiente para me submeter a crises de espirros. Não havia material de isolamento, com buracos escancarados como grades assimétricas de uma prisão. Mas nossa cabana não era mesmo uma prisão; para nós, era uma fortaleza, um lugar de segurança, alegria e felicidade. Ali faríamos a nossa residência, o nosso estabelecimento. Tratava-se de uma façanha pequena a olhos destreinados, mas aos olhos espertos de uma criança era uma obra-prima de arquitetura.

Naqueles dois verões antes de nos mudarmos de novo para a cidade, exploramos e conquistamos todos os campos, árvores e corpos de água e os reivindicamos em nome da infância. Nossos pés mergulhavam na água e na lama encharcada; as mãos tomavam posse da pedra calcária e dos cedros, escalando e rastejando através das aventuras de uma paisagem a ser descoberta; o calor do meio-dia se destilava em gotas pela testa e, exatamente quando ele se tornava insuportável, um vento quente vindo não se sabe donde soprava em nossa cara num surpreendente refresco. Quando nos sentíamos cansados desses exercícios exaustivos, nós nos recolhíamos a nossa fortaleza no bosque, e lá nos ocupávamos com um mundo de imaginação, selvagem e distante dos lugares seguros do mundo.

Se você pudesse ter escutado aquilo, teria ouvido todos os campos gritando de alegria e todas as árvores batendo palmas maravilhadas e surpresas diante de nossos feitos infantis. Creio que até mesmo o capim talvez se tivesse curvado cheio de assombro ante a inocência e o puro deleite infantil que nós transpirávamos. Cada grito de alegria, cada prazerosa fruição de uma pedra ou riacho ou árvore era um ato inconsciente de louvor da minha parte. Meu coração elevava-se em agradecimento pela beleza que eu contemplava em cada canto da criação em nosso pequeno pedaço de terra do Texas, e mesmo não sendo capaz de dizer o nome escondido em cada encontro com aquele esplendor, eu sabia no meu íntimo que ele era verdadeiro.

A beleza da natureza sempre causou forte impressão em mim. Quando me sinto longe do mundo, perdido e só, muitas vezes volto a mergulhar no meio da criação e tento ouvir a voz do vento que me chamava na infância. Eu a amava de todo o coração quando era jovem, embora o cantor da canção da natureza naquela época ainda estivesse oculto para mim. Quando cresci em idade, a luz daquele esplendor foi projetada na sombra das tribulações dos adultos, dos desafios financeiros e tragédias familiares, das vicissitudes profissionais e fracassos privados. A história do evangelho, da morte que o pecado acarreta e da vida encontrada na salvação, que parecia tão irrelevante na infância, me capturou. Vejo-me envolto naquela narrativa de um modo inescapável, de um modo que me moldou e me levou a buscar a luz que a redenção nos traz. A verdade proposicional do cristianismo se tornou a minha história, uma ordenação do mundo que soa tão verdadeira como um sino de igreja.

E, no entanto, há uma parte de mim que sabe que só pode acreditar na verdade dessas coisas porque experimentei a bondade delas a vida toda através dos meios da beleza. A canção da natureza nunca me deixou vazio, e embora a dor e a experiência de um mundo arruinado tenha me compelido a aprender o nome daquele que salva, eu já o havia encontrado muito tempo antes, na infância, e ainda o encontro dia após dia na canção da natureza. Quando criança, meu louvor consistia no silencioso enlevo do coração pela canção cantada por um cantor oculto; agora o cantor tem um nome: Jesus.

O cantor da canção da criação

Jesus é a fonte de toda beleza. Nele, a criação tem seu começo, e nós, por nossa vez, como criação dele, fomos feitos para levar ao mundo a sua imagem. Exatamente como toda a criação, nós, como seres criados de Deus, somos uma manifestação física de seu amor. Isso é um reflexo da natureza de Deus, espelhando a própria Trindade: um eterno Pai celestial que, por meio da criatividade do Filho e pelo sopro do Espírito, transfigurou uma ideia divina na plenitude da criação, uma criação que descobre seu propósito e continuação no Cristo encarnado. O Evangelho de João inicia assim em termos cósmicos, ecoando o começo da sequência da criação em Gênesis, naquilo que alguns argumentam ter a forma de um hino:

> No princípio, aquele que é a Palavra já existia.
>   A Palavra estava com Deus,
>   e a Palavra era Deus.
> Ele existia no princípio com Deus.
> Por meio dele Deus criou todas as coisas,
>   e sem ele nada foi criado.
> Aquele que é a Palavra possuía a vida,
>   e sua vida trouxe luz a todos.
>
> João 1.1-4

Observe como o texto nos guia da realidade eterna, universal de Deus descendo à particularidade de nosso tempo e espaço: primeiro a eterna Palavra de Deus, Cristo, é afirmada em sua divindade; por meio de Cristo, surge a magnificência do universo criado; e depois, no âmbito do cosmo, os seres humanos ganham vida, participando daquele que ilumina o cosmo.

E quando estávamos perdidos no pecado, Jesus, a Palavra que criou o mundo, veio para esse mundo e tornou-se *parte dele*. A obra da salvação se dá nessa escala cósmica porque Jesus nos salvou, não ao resgatar-nos *do mundo*, mas ao *tornar-se parte dele*. Jesus, como João tão explicitamente afirma, é o

Logos, a *Palavra*, isto é, um pensamento abstrato, um conceito, feito carne, isto é, tangível, existindo no tempo e espaço, tocável, reconhecível. Antes de sua crucificação, morte, ressurreição e ascensão, antes de seu prodigioso ministério na terra, antes de sua singular infância e dos estupendos fatos que acompanharam seu nascimento — antes de qualquer elemento da vida de Jesus na terra, o primeiro sinal da salvação de Deus em Jesus é sua encarnação, o fato de ele assumir a nossa carne, os átomos e moléculas de nossa existência, que ganharam vida no ventre de sua mãe terrena. Jesus veio para o meio de nosso tempo e espaço, saindo da eternidade para entrar na própria criação, no seio da qual ele nos conferiu a condição de seres, e isso por si só é um profundo sinal de amor redentor.

O apóstolo Paulo repercute essa prodigiosa conexão entre Cristo e sua magistral criação no primeiro capítulo de Colossenses, outra passagem também considerada um suposto hino:

> O Filho é a imagem do Deus invisível
> e é supremo sobre toda a criação.
> Pois, por meio dele, todas as coisas foram criadas [...]
> Tudo foi criado por meio dele
> e para ele.
> Ele existia antes de todas as coisas
> e mantém tudo em harmonia.
>
> Colossenses 1.15-17

Paulo não nos dá espaço para escapar de seu ponto específico, afirmando duas vezes que Jesus, sendo a origem da existência criada, extrai a criação de sua própria essência, e que a criação continua sendo sustentada pela presença dele no seio dela. A criação é a própria palavra de Jesus, transformada na carne do mundo natural. Dos micróbios às galáxias, cada canto da criação traz o carimbo de seu magistral artista. E exatamente como João nos mostra, essa atividade não se limita àquele primeiro ato de expressão criativa por meio da qual nós e o mundo inteiro ganhamos nossa existência, mas é também continuada na redenção divina de toda a criação em Jesus:

> Por meio dele, o Pai reconciliou consigo
> todas as coisas.
> Por meio do sangue do Filho na cruz,
> o Pai fez as pazes com todas as coisas,
> tanto nos céus como na terra.
>
> Colossenses 1.20

Por meio de Jesus, não só Deus nos salvou das consequências do pecado; em Jesus, o coração moribundo de um universo arruinado está sendo convertido ao que era antes. A criação é bela porque aponta para aquele que é belo; o Pai ama o que seu Filho criou, e por meio de seu Filho ele está fazendo as pazes com "*todas as coisas*, tanto nos céus *como na terra*". O que Jesus realizou na cruz foi mais do que uma simples salvação de almas. Foi uma reafirmação de tudo novamente, remontando ao exato momento da criação do universo, de que tudo o que Deus criou é *muito bom* e digno de ser redimido.

Os contadores de histórias cristãos muitas vezes se sentiram fascinados por esse relacionamento entre Deus, a criação e a redenção. Um dos grandes escritores cristãos do século 20, J. R. R. Tolkien, produziu uma interpretação imaginária da criação em sua obra de fantasia *O Silmarillion*. Ele imaginou o mundo como uma canção cantada por Deus, uma metáfora que, como veremos no quarto capítulo, é tão antiga quanto a própria fé cristã.

Nas páginas de abertura da épica história de seu mundo mítico Terra Média, Tolkien descreve a criação do universo por Ilúvatar, que deu existência a tudo por meio de uma grandiosa e esplêndida sinfonia musical. Aos seus servidores angélicos, os Ainur, ele conferiu o poder de participar nessa obra-prima musical cooperando em harmonia com a canção de Ilúvatar. Mas um dos servos de Ilúvatar, Melkor, sentiu ciúmes de Ilúvatar e tentou criar sua própria música, que logo entrou em dissonância com a canção de Ilúvatar, introduzindo discórdia naquele bom, verdadeiro e belo tema. Melkor tenta abafar o belo tema da criação de Ilúvatar.

Ante essa violência e cacofonia, Ilúvatar responde a Melkor:

> E tu, Melkor, verás que tema algum pode ser tocado se não tiver em mim sua fonte suprema. [...] Pois quem tentar isso dará a prova de ser apenas meu instrumento na invenção de coisas mais estupendas, que ele mesmo não imaginou.[1]

Ilúvatar deixa claro não apenas que o tema musical da criação a que ele deu existência não pode ser sufocado ou destruído, mas até mesmo que aquilo que foi concebido para o mal ele o entrelaçará de volta no seu tema para o bem.

O mundo criado por Deus não é uma circunstância incidental para a nossa redenção; é precisamente por meio do mundo criado por ele que Deus o redime, tornando-se parte dele e consagrando-o de novo por meio de seu Filho. Em Jesus, vemos o mundo com novos olhos, pois o Deus que está além de nossa imaginação entrou em nosso universo. Ele resgatou a canção da criação e a entrelaçou de volta em si mesmo.

Se isso é verdade, então o evangelho se torna algo mais do que o conhecimento intelectual da verdade acerca de Jesus, ou até mesmo mais do que o desenvolvimento de uma relação espiritual com ele. Embora essas duas coisas sejam mesmo boas e necessárias para uma saudável caminhada com Deus, esse entendimento da criação contém mais uma implicação: a de que nós contemplamos a beleza de Jesus *em seu mundo criado* e de que nos tornamos partícipes na grande obra da manifestação dessa beleza em nossa vida no dia a dia. Devemos aprender a ouvir a canção de Jesus em seu mundo e nos tornar por nossa vez cantores dela. Se a beleza no âmbito da criação nos direciona para aquele que é belo, então quando deixamos de contemplar e replicar essa beleza nós nos escondemos dele.

Cristo é a resposta aos desejos que emergem lá do fundo de nossa alma. Ansiamos pela beleza porque ansiamos por aquele que é a fonte de beleza e que nos chama de volta para a vida através dos meios de beleza que encontramos. Quando pecamos, muitas vezes isso não significa que o desejo em si seja errado, mas sim que ele não visa a única coisa que o pode satisfazer. Pense nos sete pecados capitais, a que várias partes da Escritura fazem referência e que receberam uma estrutura mais formal dos pais da igreja, pecados que, como diz o autor de Hebreus, "nos envolvem" (12.1, NVI). A luxúria emerge de uma desorientação do piedoso desejo de consumar o amor, proveniente de uma doação de si mesmo que foi distorcida em adulação de si mesmo. O orgulho é a desorientação do desejo correto de pertencer, proveniente de uma perda do conhecimento interior de que somos filhos de Deus, selados em seu amor. A ira é uma desorientação do desejo de estar seguro, proveniente de uma perda da segurança interior da providência de Deus. Todos os tipos de pecado são desejos daquilo que satisfaz, daquilo que deleita, daquilo que é belo, mas desviados de seu objetivo próprio em Jesus.

Quando encontramos o pecado em nós mesmos ou em outros, nossa tarefa não é destruir o desejo que foi distorcido e quebrantado ou menosprezar o potencial anseio pela beleza naquele afeto deslocado, mas sim restaurar cada sentimento realinhando-o adequadamente em Cristo. Como fazemos isso? Contemplando a beleza da vida de Deus no mundo irrompendo em lugares quebrantados e deixando que ela por sua vez brilhe de novo. É precisamente por meio desses anseios quebrantados, imperfeitos, que Jesus opera seus mais espetaculares feitos de redenção, não os destruindo mas sim restaurando-os. O grande compositor Leonard Cohen poderosamente capta esse trabalho da graça em sua canção "Anthem" [Hino]: "Toque o sino que ainda pode soar / Esqueça sua oferenda perfeita / Há uma fissura, uma fissura em tudo / É assim que a luz se insinua".[2]

A beleza, reorientada para o bom e verdadeiro Deus, revitaliza, suaviza e restaura, tomando nossos desejos quebrantados e trazendo-os de volta para a união com ele. Quando nosso coração era de pedra, Jesus nos deu coração de carne, porque a encarnação está sempre no centro de sua obra de salvação. Primeiro nele, como as primícias da salvação, como nos diz 1Coríntios 15.23; e agora em nós, por meio dele.

Copiando o mestre pintor

Na Renascença italiana, programas de aprendizado colocavam jovens no contexto de um mestre artista, um artesão com a mais alta habilidade, que transmitia seu conhecimento a seu aprendiz. O aprendiz convivia com o pintor, primeiro adquirindo um conhecimento básico dos materiais, estilos e métodos de aplicação, e depois mais tarde ganhando um conhecimento íntimo dos métodos do mestre: suas pinceladas, a maneira como contrastava a luz com a sombra, os métodos usados visando proporção e substância. Aprendia como transformar seu trabalho artístico de alguma coisa que simplesmente intrigaria em algo que poderia transformar, algo que poderia atrair um observador e mudar seu entendimento do mundo. Embora o aprendiz provavelmente acabasse progredindo e subindo na hierarquia artística da época, ele sempre levaria consigo a dádiva do estilo e da técnica do mestre. Se conseguisse sucesso e aclamação, isso se deveria em grande parte ao fato de ter aprendido a aplicar a técnica do mestre de maneira pessoal, única.

Nós também somos aprendizes de um mestre artista. Quando partimos para criar, fazemos isso no estilo dele, copiando sua técnica. Quais são as marcas de legitimidade da técnica de nosso mestre artista?

Nós as vemos inseridas no mundo que nos cerca. A natureza é o nosso primeiro sinal disso: simetria ordenada e harmonia proporcional em tudo, do cone de pinheiro às galáxias; harmoniosos sons secundários, que se entrelaçam em delicadas harmonias; paisagens com magnitude de tirar o fôlego, que nos atraem para um relacionamento com o transcendental; vastas distâncias entre estrelas e planetas, que nos mostram a infinitude daquele que coloca essas estrelas no céu; luz, que delicadamente se infiltra entre folhas no verão ou se reflete nas ondas quebrando-se no litoral, que brilha no escuro e a escuridão não consegue abarcar.

E aquele majestoso oceano de esplendor no vasto universo escorre inundando tudo o que experimentamos dia após dia: o deleite e a magnificência de uma bela melodia; o encanto da luz trêmula perpassando um vitral; a restauradora amabilidade de um abraço carinhoso; a súbita, impressionante alegria de um aroma fragrante; o calor nutritivo de uma boa refeição. Seja numa escala cósmica, seja nos momentos comuns de nossa existência de cada dia, essa expressividade divina se manifesta em cada canto de nossa vida. Como mostrarão os capítulos seguintes, cada encontro sensorial nos proporciona uma forma diferente de nos envolvermos com essa obra de arte: nossa interação com a música, seja ouvindo, seja cantando ou compondo, pode tornar-se uma maneira de imitar a excelência sinfônica de um universo que harmoniosamente unifica grandes diversidades com uma grande unidade; a arte visual pode nos permitir expressar o modo como o mundo se manifesta com a iluminação do divino e torna-se um meio pelo qual somos vistos e consagrados pelo Deus que para nós voltou sua face; o sentido do tato, e a capacidade de transmiti-lo a outros como uma dádiva, pode evocar o modo como Deus entrou neste mundo como um de nós e deu sua vida como uma dádiva de cura para todos; e o sabor e aroma nos levam à percepção da abundância com a qual o mundo transborda, uma plenitude que abençoa e nutre nossa vida, da mesma forma que a transbordante bondade de Deus nos é dada como uma dádiva de graça.

Dessas maneiras, nós estamos habilitados a imitar a obra criadora de nosso mestre e mais facilmente revelar seu amor e graça ao mundo que nos cerca. Quanto mais contemplamos a beleza de Jesus em sua própria criação, e quanto mais damos testemunho dessa beleza por meio de nossa emulação do mestre artista, tanto mais apresentamos a gloriosa luz do evangelho numa claridade mais brilhante.

Quando não nos damos conta do esplendor

As duas ideias que discutimos até aqui — que fomos criados para contemplar a beleza de Jesus no mundo como um sinal de sua obra redentora e que por isso temos a missão de revelar essa beleza a outros — não são apenas preciosas; elas são inestimáveis. Ver Cristo como ele é e dar testemunho de sua amabilidade é algo imperativo para conhecê-lo e amá-lo. O apóstolo Pedro aprendeu isso a duras penas.[3]

Ele já tinha sido censurado uma vez. Poucos dias antes de subir a montanha com Jesus, Tiago e João, ele dissera a seu Senhor que jamais permitiria que as autoridades levassem Jesus e o injuriassem. Jesus o havia repreendido chamando-o de "Satanás", declaração que havia plantado um medo profundo em seu coração. Ele temia o que poderia acontecer com o Mestre, e mais ainda o que Mestre poderia *permitir* que acontecesse.

Assim, quando ele viu Jesus brilhando em sua esplêndida, ofuscante luz no alto da montanha, e o medo novamente despertou em seu íntimo, sua intenção de entender, de encontrar sentido no que estava diante de seus olhos, de súbito voltou. Aqui estava um momento de revelação divina, contando ele com a presença dos próprios heróis do povo judeu. A cabeça de Pedro se agitou; talvez eles precisassem fazer tendas para Moisés e Elias, anunciar essa profunda visão no meio do povo. Talvez Jesus no fim das contas não precisasse sofrer. Talvez houvesse um jeito de triunfar *e* provar que os inimigos dele estavam errados. Talvez fosse esse o significado da visão; se ele conseguisse defini-la, entendê-la, quem sabe então o medo desaparecesse de novo.

Mal havia ele começado a falar quando uma voz trovejando proveniente do alto eliminou qualquer outra palavra dentro dele, deixando-o tão calado e quieto como um túmulo. *Este é meu Filho amado. Ouçam-no!* Pedro ajoelhou-se humilhado e aterrorizado, sem saber o que pensar ou dizer.

Ele então percebeu que tudo o que havia imaginado acerca de Jesus era pequeno demais, era irrelevante. Provavelmente pela primeira vez, a realidade da verdadeira identidade desse homem começou a infiltrar-se nele, a brilhante alvura queimando as bordas de sua percepção. A voz lhe havia ordenado que ouvisse Jesus; e agora, as perturbadoras palavras do Mestre vieram-lhe à mente num tumulto. O que Jesus havia vaticinado acerca de sua própria morte assustava Pedro profundamente, mas de certo modo, esse novo entendimento de Jesus como o glorificado, aguardando sua ressurreição, despertou em Pedro um medo ainda mais profundo. A visão de Jesus entre os dois grandes profetas de outrora excedia em beleza a sua imaginação, e Pedro não conseguia se controlar; agora ele entendia. Estava fadado a contemplá-la, mas não estava pronto para contemplar tamanha glória; aquilo exigia nada menos que sua transformação, uma transformação que ainda não estava completa dentro dele. E, no entanto, quando Pedro se curvou prostrado e tremendo, Jesus pôs a mão sobre o ombro dele, fazendo-o ficar de novo de pé. "Levante-se; não tenha medo." Totalmente aturdido, mas segurando a mão de seu mestre, Pedro começou a descer a montanha.

Repare que somos muito parecidos com Pedro. Grande parte de nossa fé se resume à construção de "tendas", espaços nos quais podemos chegar a certas conclusões, ter uma sensação de entendimento. Temos a apologética para sustentar a razoabilidade da fé cristã, e ferramentas de estudo da Bíblia para conferir sentido à Escritura que lemos. Muitas vezes, os sermões que ouvimos são construídos visando nos ensinar uma "lição moral", e quando discutimos nosso crescimento na fé nós o articulamos com aquilo que *aprendemos*, com as lições de vida que captamos. Em suma, nossa fé muitas vezes gira em torno das coisas que podemos compreender e integrar em nossa vida de forma ordenada. Há alguma coisa fundamentalmente errada com esse tipo de construção de tendas? De modo algum; pelo contrário, o evangelho é fundamentalmente a boa-nova de Jesus. Essa boa-nova deve ser expressa, tanto para nós mesmos como para os outros. Deve ser dita às claras. Sem esse conhecimento, falta-nos a habilidade de articular os próprios fundamentos de nossa fé.

E, no entanto, o conhecimento é incompleto sem uma mudança do coração; isso acontece porque aquele no qual encontramos "a esperança da glória" não é um *quê*, mas um *quem* (Cl 1.27). Não fomos criados, no final das contas, para entender Deus, mas sim para adorá-lo, para chegar bem perto dele e participar de sua glória por meio de Jesus, como nos diz Romanos 8.17. Esse tipo de paixão não pode ser contido no simples entendimento; ele deve permitir que o levemos adiante na experiência do infinito, eterno Deus que se tornou íntimo de nós em Cristo. E Deus nos deu cinco sentidos para nos envolvermos nessa experiência. Não apenas os sentidos não são algo desprezível ou de que devemos suspeitar; pelo contrário, eles são um meio muito real e manifesto pelo qual nos aproximamos de nosso Senhor, experimentamos sua glória.

Moisés e Elias entenderam; em sua própria vida, cada um teve o privilégio de testemunhar a genuína presença de Deus bem de perto. Moisés teve um breve vislumbre das "costas" de Deus, e esse mero vislumbre de um instante fez seu rosto brilhar de esplendor. Elias teve o incrível privilégio de participar dessa glória, subindo ao céu numa carruagem de fogo. Na transfiguração, eles foram testemunhas, atestando o poder transformador da simples contemplação da beleza de Deus.

A falha de Pedro foi uma falha na *contemplação da beleza*. Em seu esforço de criar uma narrativa que explicasse o fenômeno à sua frente, ele falhou ao não permitir que a glória diante dele o transformasse. Repare que, quando contemplamos a beleza de Jesus por meio dos pontos de contato sensorial com o mundo que nos cerca, ela começa a mudar nosso coração. Ela planta a Palavra não proferida — aquela incorpórea ideia de antes do tempo em si — em nosso próprio ser, Cristo encarnado em nós. Contemplar a glória de Deus no mundo que ele criou é permitir que Jesus nos transfigure plantando em nosso coração a luz de sua gloriosa transfiguração.

E exatamente como a transfiguração foi uma visão daquilo que Jesus se tornaria por meio de sua morte e ressurreição, assim também Jesus dentro de nós é uma espécie de transfiguração, uma visão para outros daquilo que cada um de nós virá a ser um dia quando o céu e a terra forem restaurados numa perfeita unidade com ele. Quando nos envolvemos com a beleza de Jesus no mundo que nos cerca, e permitimos que ela nos molde, carregamos a beleza daquela luz transfigurada dentro de nós, brilhando como um farol num mundo escuro. Agindo assim, convidamos o poder da encarnação de Cristo a fluir para dentro de nós e exponencialmente para dentro de cada canto do mundo. Cada parte de nossa vida, do luminoso ao mundano — até mesmo nossos cotidianos momentos de tabernáculo — pode ser transfigurada, brilhando como uma evidência daquele que cada um dos elementos deve glorificar: Jesus.

Atenuando o véu

Isso acontece porque Jesus não é apenas a fonte e o sustento da beleza. Ele é também o *fim* da beleza, o ponto final para o qual todos os nossos desejos como cristãos convergem. De nossa jornada até aqui, aprendemos que por meio da encarnação de Jesus, de sua vida e morte na cruz, a eternidade entrou em nosso tempo, declarando a criação de Deus digna de redenção. Mas na ressurreição e ascensão de Jesus os lugares foram trocados, e o tempo é arrastado para dentro da eternidade. Jesus, o homem perfeito, holisticamente mais humano do que nós em nossa humanidade imperfeita podemos imaginar, subiu corporalmente ao céu, carregando sua substância encarnada para a eternidade, declarando não somente que a criação é *boa*, mas também que está *destinada à redenção*. Nosso testemunho da beleza no aqui e agora é uma prelibação do que está por vir um dia, e quando celebramos aquela beleza e a devolvemos ao nosso mundo ferido, nós não só honramos Jesus, mas também criamos um ponto de contato para o eterno, tornando-o palpável em nosso momento presente.

Todas as vezes que apreciamos um lindo pôr do sol ou acalentamos uma suave brisa no rosto, sempre que nos deliciamos no esplendor da luz do sol ou nos deleitamos na restauradora graça da chuva — cada caso em que reconhecemos o belo mundo criado por Deus e nosso coração se eleva em louvor — nós não só estamos *contemplando* a presença oculta de Jesus, estamos também *declarando* que isso tudo é uma fiel promessa do que ainda está por vir.

Embora estejamos ainda num lugar quebrantado, aguardando aflitos atrás do véu que a morte teceu, quando contemplamos a beleza de Jesus, o tecido se torna um pouquinho mais fino. Criamos o que os antigos celtas chamavam "lugares tênues", pontos em que a linha divisória entre o céu a terra se torna menos definida, e conseguimos captar um vislumbre de nossa esperança final. Cada vez que permitimos que a beleza de Cristo se aposse de nossa vida, nós nos tornamos um testemunho vivo daquilo que muitas vezes é chamado a "Visão Beatífica", o momento em que o véu da morte é rasgado ao meio para todo o sempre, e contemplamos Cristo face a face na glória de sua ressurreição. Se aprendermos a contemplar a beleza de Cristo em cada parte de nossa vida como cristãos no tempo e no espaço nos quais Deus nos colocou — bem aqui, exatamente agora, momento após momento — cada interação dos sentidos visando experimentar a glória de Jesus pode ser uma promessa que aponta para o dia pelo qual todos ansiamos, o dia em que nossos desejos e a satisfação deles não estarão mais separados, um tempo em que contemplaremos a ele, o belo, face a face por toda a eternidade.

Mesmo agora, tão longe dos dias de infância no calor de um verão texano, ainda acredito que as árvores nos campos estão batendo palmas, e o capim se curva em adoração. Eu acredito, com o salmista, que "Os céus proclamam a glória de Deus" e que "Sua mensagem [...] chegou a toda a terra" (Sl 19.1,4). Muitas vezes em minha distração, incerteza e confusão, não consigo reconhecer, esqueço-me de olhar para o alto, não percebo o esplendor; e, no entanto, quando pela graça meus olhos se elevam de novo e capto os traços daquela harmonia cósmica, percebo que a canção de glória jamais cessou neste mundo. E percebendo isso, no fundo do coração eu sei que o louvor não é simplesmente um espetáculo, algo para observar; é um desafio, uma admoestação: Você se juntará a mim nessa canção? Você também dará louvor àquele por meio do qual todas as coisas passaram a existir, e em quem todas as coisas serão novamente corrigidas?

Exercícios sensoriais

- Procure em Salmos de cinco a dez declarações que os salmistas fazem acerca da criação. Como eles descrevem a criação? E o relacionamento entre Deus e a natureza? Os salmistas retratam a presença de Deus na natureza? Em caso afirmativo, de que modo? Como poderiam as palavras dos salmistas acerca da criação mudar a sua forma de pensar sobre ela?
- Faça uma caminhada perto de onde você mora. Identifique pelo menos três coisas que são bonitas ou encantadoras — qualquer coisa, de flores a cantos de aves, à grama recém-cortada, ao cheiro de comida de seu restaurante preferido! À medida que reconhece cada coisa bela, deixe o coração proferir uma breve oração de agradecimento.

2
LEVANTAR-SE COM A ESTRELA DA MANHÃ

Como o coração recebe e transforma o que os sentidos nos dizem

Mantenha o coração bem junto a Cristo,
e ele o visitará com frequência e assim transformará
dias úteis em domingos, refeições em sacramentos,
lares em templos e a terra no céu.

C. H. Spurgeon

Era bem cedo; muito antes do nascer do sol. A casa toda estava mergulhada num pesado, sonolento silêncio. Somente a metódica respiração do meu irmão dormindo no outro lado do quarto penetrava no campo da quietude em que me encontrava. Na cama acordado, eu tentava com toda a força de minha mente de oito anos de idade não sentir medo da persistente escuridão, que ainda prendia em suas garras as primeiras horas matinais.

Na cozinha junto aos pés da escada que conduzia ao nosso quarto — o "quarto dos meninos" — *eu ouvi passos*. Isso teria aumentado o meu medo se eu não soubesse quem estava calmamente caminhando lá embaixo. Levantei-me e desci a escada. Obviamente, lá estava minha mãe já vestida e prestes a escapulir pela deslizante porta de vidro para o ar úmido do Texas.

Minha mãe sempre apreciou as primeiras horas da manhã. É seu momento de recolhimento com o mundo, de encher os quatro cantos de seu espírito com a paz e alegria de Deus. Durante toda a vida, quando em casa com a família, minha liturgia matinal sempre incluiu entrar nas áreas comuns de nossa casa e encontrar minha mãe com uma xícara de chá numa das mãos, a Bíblia na outra, uma vela ardendo numa mesa ao lado e algum tipo de música instrumental tocando ao fundo. Sua rotina de graça sempre transpirara um brilho particular naquelas horas perto do amanhecer, como se desafiando o sol em sua chegada a juntar-se à vitalidade do amor vivaz que ela sentia por seu Deus e pela vida que ela recebera. Aqueles momentos de solidão na presença do silêncio são sagrados para ela e sempre foram desde quando me lembro.

Talvez fossem ainda mais sagrados então, com seus quatro filhos bagunceiros com menos de dez anos de idade, circulando pela casa com energia inesgotável desde o amanhecer até muito depois do cair da noite. Talvez a oportunidade de caminhar pela calçada e sentir o ar fresco da manhã enchendo-lhe os pulmões, antes que a densidade tanto do calor do verão quanto do alegre caos de sua família descesse sobre seu dia, fosse um ato tão sagrado como o de sentar-se recolhida para ler a Escritura. Seja como for, não me surpreendeu apanhar minha mãe esgueirando-se porta afora para uma caminhada.

— Posso ir com você?

Minhas palavras soaram mais alto do que eu esperava naquele silêncio. Ela se virou e lá da porta olhou para mim, observando-me apenas por um momento, e depois gentilmente pediu-me silêncio com um dedo sobre a boca e apontou para meus tênis. Sorri animado. Dois minutos depois, saí atrás dela ao encontro do primeiro ar da manhã.

Caminhamos em silêncio no início. Enquanto eu desfrutava do mundo ao meu redor do meu jeito, calado e introvertido, tenho certeza de que minha mãe estava recalculando suas expectativas para aquele momento. Mal sabia eu naquele tempo que presente ela estava me dando ao permitir-me participar daquilo que ela intencionalmente separava como seu momento pessoal de solidão. Segurava a mão dela e me concentrava para sentir o ar parado interrompido pelo caprichoso sopro de uma brisa fresca. Nossos passos trituravam o chão de terra da estrada montanhosa num ritmo assimétrico, minhas pernas dando praticamente duas passadas para cada uma de minha mãe. À distância, entre os espessos carvalhos que se adensavam nos dois lados da estrada, eu podia ver uma fresta onde a terra acabava e começava o céu. O horizonte estava prenhe do iminente amanhecer, um arco vermelho e amarelo-âmbar borbulhando subia invadindo a escura vastidão do céu. Eu acompanhava as cambiantes cores tomando o céu que empalidecia lá onde, exatamente em nossa linha de visão, uma única estrela teimosamente se agarrava ao seu lugar nas alturas, recusando-se a render-se à luz que surgia. Minha imaginação infantil ficou presa numa admiração extasiada, e sem me dar conta disso, meu dedo mostrou a estrela solitária.

— Olhe lá!

Minha mãe, imersa nos meandros de seu mundo interior, olhou para mim e depois para a visão que a aguardava. Sorriu e parou por um momento.

— É bonita, não é? Você sabe que estrela é aquela?

Sacudi negativamente a cabeça, a curiosidade crescendo dentro de mim, sabendo pelas palavras de minha mãe que aquela estrela era uma estrela *conhecida*, uma estrela que significava alguma coisa.

Ela tornou a olhar para o céu pensativa.

— Aquela é a estrela da manhã. Você não teria como saber disso só de olhar para ela, mas é de fato um planeta, Vênus. É assim brilhante porque está refletindo a luz do sol, e ficará assim até um pouco antes de o sol surgir.

Começamos de novo a caminhar. O amanhecer estava crescendo, já prestes a explodir sobre a paisagem como um revestimento de ouro, e mesmo assim o teimoso orbe persistia lá no alto, queimando seu brilho com todo o seu vigor, recusando-se a deixar seu lugar no céu. Ouvi de novo a voz de minha mãe.

— Você sabia que Jesus também é a estrela da manhã? Está escrito na Bíblia que ele surgirá em nosso coração quando chegar a manhã.

Ergui meu olhar para ela, e ela o devolveu com um sorriso enquanto me apertava a mão.

— Nunca se esqueça disto. Quando Jesus entra no seu coração, você sempre pode ter a certeza de que ele traz consigo a luz da bondade e da beleza.

Continuamos andando pela estrada em silêncio. Não mais do que alguns segundos depois, como que respondendo ao gesto de um maestro, uma repentina sinfonia de cores explodiu na paisagem texana. Bronze polido refletido por folhas ondulantes, e uma súbita rajada de vento fez cintilar o espesso capim que margeava a estrada emitindo uma luz trêmula de surpreso esplendor. Tudo o que se via, das águas da lagoa às pedrinhas na estrada, reluzia, como que repleto e animado com a potencialidade de vida.

Ergui os olhos; a estrela da manhã tinha desaparecido, deixando-se fundir na luz da real alvorada presente ao nosso redor. Tinha chegado a manhã.

Ao convidar-me a participar do envolvimento com a beleza da criação e ao conectar aquele encontro com a pessoa que é a fonte daquela beleza — Cristo — minha mãe plantou um vínculo *sacramental* em meu coração, um ponto de contato com a presença do divino. Nós não criamos aquele contato com nossas ações; certamente a presença oculta de Jesus já estava agindo em inúmeras aparições do sol remontando à alvorada do tempo. Minha mãe simplesmente me abriu os olhos para que eu reconhecesse aquilo em meu tempo e espaço e respondesse em adoração.

Mais do que um símbolo

Desde o início do cristianismo, os crentes têm sustentado que existem sinais tangíveis conectando nossa vida à realidade eterna de Deus mediante nossa participação neles, imbuindo a vida cotidiana com a graça celestial. Os primeiros sinais apareceram no culto cristão, e nós ainda os conhecemos e praticamos hoje: a Comunhão e o Batismo. Esses sinais não eram vistos como gestos meramente simbólicos, inanimados, mas eram sim considerados imbuídos de graça celestial tornando-se presentes no aqui e agora, partindo do amor celestial do Pai, por meio da encarnação da presença do Filho e no poder do Espírito. E eles eram constituídos a partir de elementos explícitos do próprio mundo; pão e vinho na Comunhão e água no Batismo. Santo Agostinho descreveu um sacramento como "um sinal exterior e visível de uma graça interior e invisível". Em outras palavras, um sacramento encarna o que já está acontecendo nas esferas celestes além de nossos limites existenciais aqui na terra, fornecendo uma expressão tangível de uma realidade eterna. Um sacramento é uma interação viva do físico com o espiritual, do limitado pelo tempo com o eterno; e os sacramentos da igreja focalizam no culto o que já é verdadeiro acerca do mundo como um todo: que o todo do universo em si é sacramental, a natureza entrelaçada com a atividade de Cristo movendo-se nele e por meio dele.

De fato, nós não somos *nem sequer capazes* de ser meros observadores de uma realidade que está tão indissoluvelmente vinculada à pessoa de Cristo que é por intermédio dele que o universo continua sendo sustentado dia após dia, momento após momento, segundo após segundo. Em Hebreus 1.3 nos é dito que "O Filho irradia a glória de Deus, expressa de forma exata o que Deus é e, com sua palavra poderosa, sustenta todas as coisas". Como elementos da criação, nós mesmos somos sustentados por Cristo, e isso abrange até o ar que respiramos a cada momento. E, no entanto, como seres criados à imagem de Deus, por meio da realidade sacramental a nosso dispor — Jesus irradiando a glória de Deus através da criação — nós recebemos a capacidade de reconhecer aquela gloriosa, persistente presença de Cristo em seu mundo criado e participar dela. Trata-se de um mistério que nunca podemos plenamente entender no mundo empírico. Todavia, por meio da obra redentora do Espírito Santo dentro de nós, estamos capacitados a experimentar, ganhando conhecimento da verdade não mediante uma compreensão intelectual, mas sim mediante um encontro.

Hans Boersma, professor de teologia da Universidade Regent, articula isso da seguinte maneira:

> Tenho a impressão de que a forma da tapeçaria cósmica é tal que sinais terrenos e realidades celestiais se entrelaçam intimamente,

de modo que não podemos ter aquelas realidades sem estes sinais. [...] A razão da misteriosa natureza do mundo [...] é que ele participa de alguma realidade maior, da qual deriva seu *ser* e seu *valor*.[1]

Em outras palavras, tanto a ordem criada quanto o modo como cada elemento está inserido nela são especificamente planejados por Jesus, sustentados por intermédio dele e têm nele sua completude. Nós, como o restante da criação de Deus, fomos criados com um propósito único; e, no entanto, diferentemente de todos os outros seres da criação, somos dotados de olhos para ver os fenômenos em andamento ao alcance de nossas mãos e para participar deliberadamente nisso, alinhando a rotina de nossa existência com a canção que a criação canta louvando seu criador que a sustenta. E esse milagre é realizado por meio da essência do sacramental dentro de nós: o nosso coração.

O trabalho do coração

Dependendo da tradução da Escritura, a palavra *coração* é utilizada de formas diversas mais de quinhentas vezes. O coração faz o papel de um ponto central, um catalisador, entre o que observamos no mundo que nos cerca e concluímos filosoficamente sobre ele e o que depois reagindo representamos naquele mesmo mundo por meio de nossas ações e palavras. Provérbios nos aconselha: "Acima de todas as coisas, guarde seu coração, pois ele dirige o rumo de sua vida" (Pv 4.23). Jesus retoma essa ideia séculos mais tarde, declarando audaciosamente aos líderes religiosos do seu tempo: "Não é o que entra pela boca que os contamina; vocês se contaminam com as palavras que saem dela. [...] Pois do coração vêm maus pensamentos, homicídio, adultério, imoralidade sexual, roubo, mentiras e calúnias. São essas coisas que os contaminam" (Mt 15.11,19-20). Em suma, aquilo a que nós, por meio de nossas paixões, conferimos existência é um sinal do que valorizamos. O coração tem um grande poder de plantar sementes de beleza ou de semear o caos; falando do fundo do coração mostramos a verdade em que acreditamos acerca do mundo. Como diz Provérbios: "Como a água reflete o rosto, assim o coração reflete quem a pessoa é" (Pv 27.19).

Repare que nós somos feitos para muito mais do que para a mera informação; somos feitos para tomar a informação e atribuir-lhe significado. C. S. Lewis disse que "a razão é o órgão natural da verdade; mas a imaginação é o órgão do significado. A imaginação, produzindo novas metáforas ou ressuscitando metáforas antigas, não é a causa da verdade, mas é sua condição".[2] A imaginação, a máquina do coração, buscará inevitavelmente atribuir significado à verdade que recebemos. Sem o coração, a informação nada mais seria do que uma coleção de fatos. Os fatos não contêm nada de interessante em sua revelação para o mundo porque não têm valor intrínseco; a verdade sem significado é estática e inanimada. Quando a mente está sintonizada com o coração, todavia, somos levados à descoberta de significado na informação; por meio do coração, atribuímos significado àquilo que conhecemos, interpretando-o segundo nossas paixões e desejos. E a partir da imaginação do coração, criamos manifestações sacramentais daquilo que acreditamos acerca da verdade, por meio de nossas palavras e ações.

Nosso coração é uma máquina do sacramental.

O senso comum de grande parte do cristianismo contemporâneo ataca ferozmente essa noção. Tendemos a menosprezar o valor do desejo — e do coração que busca o que deseja. É mais confortável pensar que podemos preservar nossa autonomia e nos aproximar de Deus como se fôssemos parceiros em pé de igualdade estabelecendo termos de acordos mútuos. Quando ouvimos o salmista dizer: "Busque no SENHOR a sua alegria, e ele lhe dará os desejos de seu coração" (Sl 37.4), ou quando Provérbios nos pede: "Confie no SENHOR de todo o coração [...], e ele lhe mostrará o caminho que deve seguir" (Pv 3.5-6), nós muitas vezes ouvimos a proposta de uma troca recíproca: Eu lhe dou o que você quer, e você me dá o que eu quero. *Tu ganhas minha confiança e alegria, meu Deus, e eu ganho o que desejo e um caminho livre feito para mim.* Em oração repetimos esses versículos como um mantra visando as coisas que queremos na vida, pensando em nós mesmos ocupando o assento do motorista e em Deus enchendo o tanque de gasolina toda vez que precisamos.

E se, em vez de Deus simplesmente nos dar o que desejamos, esse versículo estiver sugerindo um tipo oposto de satisfação? E se estiver em jogo uma realidade maior na qual a eterna bondade de Deus está se insinuando no tecido de nosso tempo e espaço por meio de seu Filho? E se, em vez de conseguir o que queremos fazendo o que Deus nos pede, Deus estiver nos convidando a nos desapegar de nossos desejos, nossos direitos, nossa própria percepção de como o mundo funciona porque ele quer transformar nossa visão e nos ajudar a realmente enxergar? Quando sintonizamos nosso coração com o coração de Deus, isso não quer dizer que vamos conseguir o que queremos; quer dizer que ele recria e redireciona nossos desejos para aquilo que verdadeiramente satisfaz. Abandonamos as coisas simplistas que antes queríamos porque recebemos algo muito mais grandioso. Temos agora a oportunidade de ver o mundo como ele realmente é.

Os olhos interiores do coração estão agora abertos para a única realidade verdadeira, a fim de que o coração possa desejar a única coisa que satisfaz. *Nossos desejos em si estão mudados.*

Nas palavras de Agostinho, por muito tempo um perseguidor de desejos perversos e mundanos antes de finalmente ceder à perseguição do Espírito Santo: "Fizeste-nos de tal modo que ansiamos por ti, e inquieto é nosso coração enquanto não descansa em ti".[3]

O mundo é sacramental, sim, porque por meio de Jesus a própria criação participa do testemunho do grande, belo e eterno Deus. Porém, mais importante ainda, *nós* somos sacramentais porque fomos criados para reconhecer esse testemunho, para permitir que nosso coração seja transformado por ele e, em consequência disso, para devolver sacramentalmente ao mundo nossas paixões corretamente alinhadas mediante tudo o que fazemos e dizemos. Deus está constantemente nos chamando para sua realidade celestial, ansiando por nos dar olhos para enxergar. Toda a criação é assombrada pelo céu, e quando somos inseridos na história de Cristo, vemos que é a presença dele que transparece em todas as coisas, convidando o mundo a voltar para a reconciliação com Deus por meio de sua nova vida. Jesus levou a história de nosso tempo e espaço para dentro da eterna história celestial. E por nosso intermédio, Deus pretende tornar sua realidade celestial presente no exato momento de nosso lugar na história.

O aqui e agora do reino vindouro

Deus quer que seu eterno reino celestial seja mediado pela história que foi iniciada no jardim do Éden, continuada por sua intervenção na história de Israel, redimida por Jesus e consagrada no coração de todos aqueles que deixam Cristo entrar na história pessoal deles e transfigurá-la. A história na qual estamos sendo transfigurados é o reino do céu, uma realidade nova e viva; nela a eterna perfeição e bondade do céu, que um dia serão completas manifestando-se na terra, estão irrompendo em nosso tempo e espaço e já começando a obra de redenção.

Assim, cada um de nós que tem Cristo dentro de si está vivendo num constante paradoxo. Por um lado, ainda existimos num mundo quebrantado, um lugar onde o pecado e a morte parecem governar impunemente. É possível que as coisas estejam mudando, mas parece que é para o pior. O esfacelamento social e familiar está na ordem do dia, e o isolamento é o novo normal. Crescem o sectarismo e a polarização política, e o diálogo entre pessoas com divergentes visões de mundo é cada vez mais difícil. A epidemia da guerra infesta muitos países, arrasando culturas inteiras, e os constantes, ominosos espectros de ocorrências apocalípticas, desde pandemias até o persistente terror da guerra nuclear, parecem sempre estar rondando as manchetes dos jornais. Luta, tristeza e discórdia estão sempre nas margens da vida contemporânea, e às vezes até forçam inevitavelmente sua ocupação do centro de nossa atenção.

Particularmente à luz dos horrores do século 20, com suas múltiplas guerras mundiais e inúmeras mortes e desolação causadas pela crueldade de regimes totalitários e revoluções, o cristianismo moderno teve de enfrentar essa chacina das trevas de uma forma nunca antes constatada, e muitas vezes viu-se preso no dualismo presente em grande parte do pensamento moderno. Quando acontece algo trágico ou perverso, que causa dor e sofrimento, nossa tendência é perguntar se o bem pode vencer diante de tanto mal. Comparamos a aparente quantidade de mal com o bem que quantificamos por meio de nossa própria visão e com frequência somos levados ao desespero quando o mal persiste.

Esse não é o estilo de Cristo. No reino dele, o mal e o bem não são forças que lutam entre si para conseguir predominar. O mal, por mais profundo ou difuso que seja, nunca está em equilíbrio igual e oposto ao bem. Em vez disso, o bem do reino de Cristo é uma realidade eterna que irrompe no mundo quebrantado, e os dias da aparente soberana de nosso atual tempo e espaço — a *morte* — estão contados. A morte está morrendo, e o reino de Cristo está vindo para reinar eternamente. Por meio da ressurreição, recebemos novos olhos para ver, olhos que não temem a morte porque o eterno poder reparador da ressurreição é o nosso destino. Suportando a morte, primeiro a de nosso velho eu espiritual e depois a de nosso frágil corpo, nós privamos a morte de seu único poder, tornando-a impotente. Um antigo hino pascal expressa isso com uma linguagem vívida:

> Cristo ressuscitou da morte, pisoteando
> a morte com a morte,
> e aos que estavam no túmulo conferindo vida![4]

Por meio de Cristo em nós, estamos pisoteando a morte mediante o único poder que ela tem sobre nós. Entrando na história da morte e ressurreição de Cristo e participando dela, estamos reconhecendo o novo reino de Cristo, que virá restaurar todas as coisas.

E, no entanto, isso é mais do que um simples reconhecimento. Não bastaria que suportássemos o mal e o sofrimento em nossa vida e na vida de quem nos cerca contando com a mera promessa do que está por vir. Ao participar dos sacramentos formais da igreja e ao conceder-lhes a permissão para que reorientem nossa visão de mundo, tornamo-nos parte do reino vindouro, trazendo o *algum dia* desse evento para o *aqui e agora*. Não estamos simplesmente apontando para uma realidade que por fim sobrepujará esta realidade; por meio do sacramento, estamos entrando numa nova realidade neste exato momento de nossa história. E de um modo ainda mais profundo, essa realidade não é algo que transcende, altera ou ignora o nosso mundo, mas algo que mostra o que ele devia ser — e será de novo um dia. Alexander Schmemann expressa isso em seu excelente livro *For the Life of the World* [Pela vida do mundo]:

> Um sacramento [...] é sempre uma *passagem*, uma *transformação*. Todavia, não é uma "passagem" para uma "supernatureza", mas para o reino de Deus, o mundo por vir, para a própria realidade deste mundo e sua vida como redimida e restaurada por Cristo. Um sacramento [...] não é um "milagre" pelo qual Deus viola, por assim dizer, as "leis da natureza", mas sim a manifestação da Verdade suprema acerca do mundo e da vida, do homem e da natureza, a Verdade que é Cristo.[5]

Essa nova realidade — o reino de Deus — torna presente aos nossos olhos o mundo como ele deve ser e será de novo por meio da ressurreição de Cristo na plenitude do tempo. Somos arautos dessa visão e, participando da vida que se insinua na escuridão do pecado de nosso mundo, introduzimos nele claridade para nós mesmos, para nossas comunidades congregacionais e para o mundo inteiro.

Na história fantástica de aventuras infantis de S. D. Smith intitulada *Green Ember* [Brasa verde], os dois irmãos coelhos

Picket e Heather fugiram de casa, separando-se de seus pais e do irmão caçula, e se encontram como refugiados na Montanha nas Nuvens, uma comunidade escondida e protegida em meio à guerra e à destruição. Os Soberanos de Rapina, hordas de lobos vorazes e raptores sinistros, assolaram o Grande Bosque, o lar dos coelhos, queimando cada centímetro ao seu alcance, e coelhos de todos os cantos do Grande Bosque procuraram abrigo na Montanha nas Nuvens. Ante a ameaça iminente de violência e terror por tudo ao redor, Heather e Picket se surpreendem ao constatar que o povo da Montanha nas Nuvens persiste em atividades que aparentemente nada têm a ver com a guerra: pintando, esculpindo, cozinhando, podando cercas vivas. Heather pergunta a Maggie "O'Sage", uma sábia velhinha da Montanha nas Nuvens, por que as coisas são assim. Maggie explica:

> Aqui nós antecipamos o Bosque Recuperado, o Grande Bosque curado. Aqueles pintores [...] estão realmente vendo, mas é um tipo de visão diferente. Eles antecipam o Bosque Recuperado. O mesmo fazem todos nesta comunidade de diversas maneiras.
>
> Nós cantamos sobre o Bosque Recuperado. Nós o representamos na pintura. Fazemos muletas e preparamos sopas e temos jardins e casamentos e bebês. Este é um lugar fora do tempo. Uma janela para o mundo passado e o futuro. Veja só, minha querida, nós somos arautos, anunciando o que certamente virá.[6]

Na economia do reino de Deus, nós somos mais do que aqueles que aguardam esperançosos: somos aqueles que antecipam aquilo que com certeza está por vir observando o mundo que nos cerca e a ele respondendo. No sacramento, Cristo, como a Palavra Viva, dá vida à história da redenção dentro de nós, recriando o drama em nosso tempo presente, e nos permite uma visão para que enxerguemos *agora mesmo* o que pela fé acreditamos estar por vir. Em vez de simplesmente nos pedir para crer nele confiando que isso é verdadeiro e depositar nossa esperança num evento futuro, a realidade de Cristo faz que aquilo que está além de nós se torne real em nosso coração no aqui e agora.

O caminho das pedras para o reino

Assim como Cristo é a revelação particular no âmbito de um universo sacramental por natureza, a representação de sua história em seu povo e no meio dele sempre aconteceu mediante sinais sacramentais particulares, praticados em reuniões de culto cristão. Esses sinais evocam a história do reino dinâmico de Cristo em nosso presente e nos convidam a participar dessa história. São sinais públicos e coletivos, sempre nos tirando de nosso eu individual e inserindo-nos na narrativa compartilhada. Eles exigem de nós nossa totalidade, não apenas uma parte de nossa expressão, mas a reformulação de nosso ser por inteiro, corpo e alma. Por meio deles, aceitamos ser iniciados e sustentados pela história, rumo ao fim que aguarda todos os cristãos: sermos formados à imagem e semelhança de Cristo e atraídos cada vez mais profundamente para dentro da vida dele.

Embora diversas tradições pratiquem uma variedade de sacramentos formais, praticamente todas as igrejas reconhecem dois sacramentos básicos para a iniciação e continuação da vida no corpo de Cristo: o Batismo e a Eucaristia. Esses dois sacramentos são cruciais não apenas para o modo como eles nos moldam na adoração, mas também no modo como reverberam além dos limites de nossa adoração, com seu significado extravasando no mundo por meio daquilo que fazemos na vida todos os dias, e particularmente por meio de nosso envolvimento com aspectos sensoriais desse mundo. Esses dois sacramentos conferem abrangência narrativa à jornada cristã. O Batismo assinala uma entrada na história do reino de Cristo; e a mesa da Comunhão — ou como é mais frequentemente denominada pela tradição, a Eucaristia — marca a continuação daquela história por meio do contínuo retorno à autodoação de Cristo.

Por meio do Batismo, começamos nossa jornada no reino de Deus, morrendo para a velha visão de mundo e adquirindo uma visão nova. Recebemos os olhos e os ouvidos do coração para enxergar a presença de Jesus entrando nas coisas quebrantadas e atiçando as cinzas de uma vida nova e para ouvir a canção da recriação harmonizando de novo as partes perdidas do mundo e inserindo-as na sinfonia do reino vindouro. A vida espiritual que nos foi concedida em Cristo será real também em nosso corpo algum dia. Somos os arautos dessa visão, e quando participamos do Batismo estamos optando por permitir que nosso coração seja transformado, de modo que passemos a enxergar de dentro para fora.

Esse processo envolve nossa primeira autêntica participação na morte e ressurreição de Cristo. O Livro de Oração Comum episcopal diz que por meio da água do Batismo nós somos "sepultados com Cristo em sua morte", e que com isso "participamos de sua ressurreição".[7] Quando somos submersos, permitimos que nosso velho eu espiritual seja sepultado, e juntamente com isso, todo pecado, egoísmo e desespero que dominavam nosso eu anterior. Fazemos isso porque sabemos que, uma vez que voltamos à tona por meio das águas do batismo, nossa alma é trazida de volta da morte do pecado permitindo que a morte dentro de nós morra. E somos ressuscitados para uma vida nova e eterna, uma vida oculta com Cristo em Deus. Na igreja primitiva, aqueles que eram batizados eram descritos como "iluminados", incendiados pela luz de Cristo por meio do Espírito Santo.[8] No Batismo, a escuridão e a sombra do pecado são fadadas a morrer, para que por nosso intermédio a luz de Cristo possa brilhar como um testemunho da realidade de sua vida celestial irrompendo no mundo por meio de nós.

Desse modo, o Batismo começa nossa jornada, mas ele também prenuncia aquilo que será nosso fim na plenitude de nosso tempo sobre a terra. Assim como, por meio da água do Batismo, nós expressamos o morrer de nosso velho eu para que Cristo possa avivar nossa alma e infundir vida em nós por meio do Espírito Santo, quando passamos pela morte física nós aceitamos que faleça o velho corpo, desgastado e corrompido pelo mundo, confiando que, pelo poder de sua ressurreição, Jesus está restaurando o mundo por ele criado e que com isso ele nos restaurará como parte dele. Assim como nós significamos a chegada de uma nova vida em nosso eu espiritual pela água do Batismo, na morte nós nos desapegamos de nosso corpo pecaminoso, sabendo que receberemos de Deus uma nova vida corporal na ressurreição de Jesus. Desse modo, o batismo fornece os suportes para o começo e o fim de nossa história sobre a face da terra, e quando participamos do sacramento do Batismo nós proclamamos a vinda do reino, um reino no qual a própria criação será redimida e restaurada.

E, no entanto, ainda estamos presos a um mundo quebrantado, e facilmente nossa visão se obscurece. Precisamos de Jesus a cada momento, para nos sustentar, para nos lembrar a quem pertencemos — e quem é o verdadeiro Rei soberano do reino já presente em nós. Por meio da angústia e do pecado do mundo, que ainda voltam para assombrar mesmo a nós que fomos iluminados pelo Espírito, nossa luz se obscurece. Para suprir essa nossa necessidade, Jesus se doa a si mesmo. A Eucaristia é o mais elevado e mais profundo momento de nossa participação na adoração, porque ela implica a mais fundamental verdade implícita de nossa fé cristã: que nós jamais nos aproximamos de Deus por nossa própria iniciativa; é por meio da autodoação de Cristo que somos restaurados à fonte da vida e sustentados dia após dia. Receber os elementos da comunhão significa abandonar nossa tentação de ressuscitar o "velho homem" e, em vez disso, aceitar a vida de Jesus como nosso completo sustento, de corpo e alma. É reconduzir nosso coração para o objetivo mais básico para o qual foi criado: louvar nosso criador.

Eucaristia deriva do grego *eucharistia* e literalmente significa "ação de graças". Ela reflete o modo como quando nos deleitamos em Deus — quando nos inclinamos agradecidos — ele nos concede os desejos do coração; nos enseja uma visão nova. Quando nos aproximamos da mesa agradecendo a dádiva que vamos receber, a dádiva nos proporciona muito mais do que uma simples nutrição para o corpo. Por meio da Eucaristia, somos de novo atraídos para a visão de nosso Senhor, que anseia não apenas estar presente para nós, mas também que nós estejamos presentes para ele. Não se trata de saber se Cristo está conosco; a Eucaristia abre de novo os olhos do coração para que ele reconheça Jesus e de novo participe de sua vida.

Por meio desses dois sacramentos, Batismo e Eucaristia, todos nós como cristãos recebemos novos contornos para moldar nossa vida. Por meio do Batismo, somos despertados para a vida do reino, formando um grupo de pessoas unificadas pela vida de Jesus que flui nelas pelo poder do Espírito Santo. Recebemos olhos para enxergar uns aos outros e o mundo que nos cerca de um modo impossível para olhares meramente humanos, e somos levados a formar uma unidade uns com os outros. E por meio da Eucaristia, somos continuamente chamados de volta para essa unidade e sustentados por ela. Por meio da transbordante dádiva de Cristo no mundo, por meio da vivência de sinais extraídos de elementos profundamente tangíveis da criação — água, pão e vinho — enxergamos o mundo com um olhar renovado e somos fortalecidos para voltar e entrar nele e santificá-lo pelo poder de Jesus em nós.

E esses sinais não visam ser meramente experimentados momentaneamente e depois deixados para trás como se fossem uma memória passada, mas visam, isto sim, ser continuamente vividos na prática e nos momentos comuns de nossa existência dia após dia.

Imaginações que batizam

Antes de tornar-se cristão, por meio dos escritos de George MacDonald a imaginação de C. S. Lewis estava preparada para a paz e reconciliação que acabaria obtendo. Embora ele não entendesse completamente todas as imagens e analogias cristãs presentes no romance *Phantastes* de MacDonald, a maneira como o autor descrevia o esplendor do mundo o encantou e acendeu uma pequena chama no coração de Lewis, e essa chama um dia seria estimulada até se transformar no fogo de uma fé poderosa que mudaria a vida de inúmeras pessoas por meio dos escritos dele. O modo como C. S. Lewis descreveu essa experiência é digno de nota; diz ele: "Minha imaginação foi, em certo sentido, batizada".[9]

Do transbordamento da visão de Cristo na criação presente em MacDonald e da maneira que isso fez parte de seus escritos, Lewis recebeu um convite para reconciliar-se com a realidade da qual ele se havia divorciado, uma realidade que logo se tornaria a paixão duradoura de sua vida. Esse é o poder do espírito do Batismo que flui da realidade de nossa participação nesse sacramento: assim como, entrando no reino, nós nos tornamos iniciados e repletos da luz de Cristo, também nossa vida, por meio de cada ação que exercemos no mundo, pode ser indicadora de caminhos que levam ao reino prestes a chegar.

Madeleine L'Engle, em seu livro *Walking on Water* [Caminhando sobre as águas], discute a maneira singular pela qual artistas cristãos acatam esse chamado a manifestar a presença de Cristo no mundo. Ela descreve as genuínas propriedades tangíveis da arte em suas várias formas como parte integrante da mediação da presença de Cristo: "pintar um quadro ou escrever um conto ou compor uma canção é uma atividade encarnacional".[10] L'Engle recorre a uma metáfora muito visceral para descrever esse processo: "O artista é um servo que pretende ser um parturiente. Num sentido muito real, o artista (homem ou mulher) deve ser como Maria, que, quando o anjo lhe anunciou que ela devia dar à luz o Messias, foi obediente à ordem recebida".[11] A conexão não deixa a menor dúvida: os artistas que carregam dentro de si a presença de Cristo são intimados a testemunhar essa presença de formas *encarnadas*. Sua obra de arte é sacramental no sentido de que expressa a graça de Deus mediada pela matéria do mundo. E embora nem todos nós sejamos artistas, todos somos chamados a essa vocação da encarnação, seja por meio do maravilhoso prazer de uma bebida refrescante ou de uma refeição quentinha, seja por meio da carinhosa cura da música que se insinua nas atividades rotineiras da vida ou da obra de arte que escolhemos para exibir em nossa casa, seja em nossa disposição de testemunhar a glória de Deus na exuberante beleza da primavera ou no presente de gentileza que doamos num abraço. Em todas as maneiras em que pomos os sentidos a serviço do embelezamento do mundo, temos a oportunidade de ensejar situações que fazem despertar para a intensa luz divina que brilha em todas as coisas. Cada canto de nossa vida se resume a este chamado: "Não existe nada tão secular que não possa ser sagrado, e esta é uma das mais profundas mensagens da Encarnação".[12]

O que recebemos no júbilo dos sacramentos, começamos a ver fluir extravasando-se nos riachos da vida. Assim como elas definem a forma da vida de adoração, essas linhas de prática começam a moldar nossas ações no dia a dia de modo que tudo o que fazemos está imerso no *ethos* daquilo que esses dois sacramentos representam: *reconciliação* com o belo mundo de Deus e *sustento* para a longa jornada dentro dele. Como descobriremos nas páginas seguintes, do mesmo modo como o sacramento é o meio pelo qual nós, através do coração, atribuímos significado àquilo que recebemos do próprio mundo e depois o devolvemos ao mundo na forma de louvor, assim também nossos sentidos são os instrumentos principais dessa vocação sacramental. Essa atividade sensorial é o evangelho em ação, tornando conhecido o Cristo que veio ao mundo e com sua presença o santificou.

Temos de fazer mais do que simplesmente participar dos sacramentos formais da igreja. Temos de ser *nós mesmos sacramentos vivos*, testemunhas do eterno Rei do reino ao qual juramos fidelidade. Quando unimos nossas vozes naquele canto sacramental, deixando para trás nosso velho eu e permitindo que a nova harmonia do reino domine nosso coração, nós manifestamos de uma forma bela e cheia de vida a pessoa de Jesus àqueles que mais precisam dele.

De fato, nosso trabalho é mais do que simplesmente converter almas. Mais que isso, é abrir os olhos das pessoas para a maravilhosa realidade da verdade verdadeira, de um mundo sacramental que anseia por revelar Jesus. Devemos viver a vida transformando ídolos — becos sem saída que levam ao pecado e desespero — em ícones, que são janelas através das quais a luz de Cristo brilha. Só podemos fazer isso se rejeitarmos a idolatria do narcisismo e nos deixarmos transformar de dentro para fora. Essa é a obra dos sacramentos e do mundo sacramental em que eles estão inseridos: *fazer que nós mesmos sejamos transformados de ídolos em ícones*. Juntos nos tornamos, para o nosso tempo, a viva, palpável expressão do Rei que eternamente reina, Jesus. Estamos sendo transformados em algo mais que uma mera assembleia dos redimidos; por meio do mundo sacramental e por meio dos sacramentos que ele instituiu em nosso benefício, Jesus está nos transfigurando, de modo que, exatamente como em sua transfiguração, aqueles que olham para vocês e para mim e para tudo o que fazemos na vida cotidiana enxerguem a fulgurante, bela, celestial luz de Cristo irrompendo no tempo e espaço.

Exercícios sensoriais

- Reflita sobre um serviço religioso recente que incluiu o Batismo ou a Comunhão (ou ambos). Que imagens surgem na sua cabeça enquanto você pensa nesses sacramentos? De que sensações se lembra? O que tornou a expressão desses sacramentos diferente dos outros aspectos do culto?

- Relembre um livro ou um conto favorito de sua infância. Do que você se lembra da descrição do mundo ali contida? Em que aspectos aquele modo de descrever o mundo afetou a sua imaginação? Como aquela história poderia ter moldado a sua forma de se relacionar com o mundo ao seu redor?
- Reflita sobre sua vocação pessoal. Em que sentido você tem se aproximado mais do que é ser um sacramento vivo em seu trabalho e em seus ritmos de cada dia? De que modo esta discussão sobre o espírito dos sacramentos leva você a pensar de modo diferente acerca de seu trabalho e suas atividades rotineiras de cada dia?

3

REPLETOS DE MAGNIFICÊNCIA

Contemplar a glória de Deus na natureza

Ler sobre a natureza é ótimo, mas se
alguém caminha num bosque e presta bem atenção,
pode aprender mais do que o que está nos livros,
pois o bosque fala com a voz de Deus.

George Washington Carver

Saltei de um penhasco para o vertiginoso espaço vazio. O que antes era o chão firme do conhecimento do meu futuro e meu lugar no mundo havia de repente desaparecido sob meus pés, e eu me vi naquele meio segundo de pausa, antes de a gravidade exercer seu papel e impor sua inevitável força de tração para baixo. No silêncio do quarto, sentei-me paralisado pelo temor, o escancarado vazio do desconhecido aguardando para me devorar. Meu coração agachado, apertado e abraçando os joelhos em assustadora tristeza, sem coragem para erguer os olhos e ver a vastidão do absurdo que me aguardava.

Sacudi a cabeça para dispersar as sombras, mesmo que por apenas um instante, e mecanicamente me preparei para deixar o meu quartinho; amarrei os cadarços das botas, arrumei a cama, apaguei as luzes e tranquei a porta. A vaga dor do meu vazio me deixava meio inconsciente, enquanto me arrastava escada abaixo, pelo corredor e porta afora. Quando a fechei, virei-me para enfrentar o dia.

Meus olhos se esforçavam para resistir à persistente claridade que agora me oprimia. Até mesmo em meio ao cinza pesado do seminublado céu lá em cima, tudo aqui embaixo queimava com a cromática potência de vida. O jade da paisagem verdejante ao redor se lançava num choque de âmbar e escarlate nas folhas acima de mim, lutando desafiadoras para se libertarem. Por tudo ao redor, aquelas que já se haviam desprendido do derradeiro e desesperado agarrão do estio juntavam-se formando um suave tapete sob os tacões de minhas botas.

Arrastei-me por íngremes subidas protegido por árvores pastoras, rígidas como guardiães tolkienianos pairando vigilantes acima de mim. Com o passar do tempo, elas se dispersariam, indo cuidar de alguma outra tarefa arbórea, deixando-me no descampado de ondulantes campinas verdes. Ali, o vento açoitava-me os cabelos e mordia-me os calcanhares, e o frio irritante queimava-me o rosto com ávida ferocidade. Fui avançando, um pé depois do outro, até que o ritmo começou a espantar o medo, afastando-me do vazio da incerteza e colocando-me no imediato do aqui e agora. No lugar do *ostinato* dos receios repetindo-se sem fim na minha cabeça, melodias mais suaves de cantos de pássaros e água murmurante espantaram para longe os ritmos martelados.

Marchei em frente até que, por fim, quando parei e me mantive imóvel, o silêncio já não me assustava. Dentro de mim já não estava a violência da entropia, nem o terror do vazio, mas sim uma quietude transbordante, uma tranquilidade enraizada numa completa submersão.

O ato de adentrar a natureza com minha angústia e confusão, deixando que essas coisas fluíssem para fora entrando na vida dinâmica presente na criação, por meio da própria imagem da natureza, despertou em mim a consciência de que por trás do mundo quebrantado sempre está a luz da glória prestes e irromper, restaurando-o dia após dia.

A mão do mestre por trás do véu

A criação é a primeira fronteira dos sentidos. Por trás de cada interação sensorial que temos no mundo estão a ordem e a sensibilidade do mundo criado em si. Por trás da música, está a ressonância harmônica de frequências congeniais ecoando nos sons melódicos da natureza; por trás da arte visual, está a expressiva multidão de cores, padrões e figuras em todos os níveis, do cósmico até o atômico; por trás da criatividade culinária, está a terra que produz uma abundância de nutrientes mais extravagantes do que as mais exóticas papilas gustativas poderiam imaginar.

O que criamos e aquilo com que nos envolvemos criativamente é sempre uma resposta, uma imitação que deriva da atividade criadora já presente na trama e urdidura do universo. Isso acontece porque a totalidade da criação é o primeiro ato de criatividade, a primeira e mais capital obra de arte.

A natureza traz a assinatura de um criador cujo cosmo não é apenas ordenado; ele é belo. Ele recebe seu ser — e existência — por meio daquele que é a *imagem* do Deus invisível. Nesse sentido, ele traz o selo da imagem de Deus em sua própria forma e fluxo. Essa vitalidade, essa beleza, essa estrutura e intenção nos revelam algo sobre a natureza de Deus, algo sobre quem ele é. E essa revelação de si mesmo por meio da natureza visa ser captada, ser entendida e ser respondida na forma de louvor. A beleza e a ordem do universo se manifestam por meio da contemplação dessa maravilhosa expressão.

O ápice do ato criador de Deus é o elemento dentro da criação que resume em si toda a maravilhosa interação da multiplicidade do cosmo além dela: a humanidade. Em cada um de nós existe a capacidade não só de expressar a maravilha da criação, como parte da ordem criada, mas também de oferecê-la em louvor ao Deus que é a fonte dessa maravilha toda.

Microcosmo e obras-primas

Um dos conceitos preponderantes na filosofia da antiguidade é a ideia de microcosmo e macrocosmo. Esse conceito descreve a interação entre uma coisa pequena, um *micro*cosmo, que expressa plenamente a essência de uma coisa muito maior, o *macro*cosmo. O microcosmo é algo que tem as mesmas características de sua contrapartida maior, mas numa escala que pode ser entendida de modo mais fácil e rápido. Muitos dos pais da igreja adotaram essa ideia e a incorporaram no pensamento cristão. Para eles, o universo era o grande macrocosmo, que expressava em grande escala os movimentos da atividade de Deus na criação; e, no entanto, eles viam os seres humanos como um microcosmo do universo. O capadócio Gregório de Nissa, um pai da igreja do século 4, imaginou os humanos em si como um verdadeiro cosmo em miniatura. Quando a humanidade considera seu próprio modelo, a beleza e estrutura e significado em si mesma, sua capacidade de raciocinar e amar e experimentar a bondade, ela começa a compreender, diferentemente de qualquer outro aspecto da criação, a obra maior de Deus no todo do universo. Segundo os pais da igreja, nós somos a singular expressão que resume em si a capacidade artística da criação de Deus.

Efésios nos diz que "somos feitura" de Deus (Ef 2.10, RA). A palavra grega para "feitura" neste versículo é *poiēma*. É uma versão da palavra *poiesis*, um conceito da filosofia grega que implica dar existência a algo que antes não existia. Um termo latino similar descreve o modo como Deus criou o mundo *ex nihilo* — literalmente "do nada".

Quando nós como seres humanos criamos alguma coisa, nosso processo criativo sempre faz referência ao mundo como o experimentamos. Não podemos pintar a menos que usemos materiais já existentes para retratar cores e texturas já presentes ao nosso redor. Podemos fazer música somente ordenando notas e ritmos de acordo com as regras de consonância e dissonância, harmonia e melodia, já presentes na criação. Quando Deus cria, ele faz isso sem nenhum ponto de referência que não seja ele mesmo; tudo o que já existiu ou que possa vir a existir vem dele. O mundo criado é imaginação em seu grau mais infinitamente puro, criatividade em seu grau máximo de geração e expressividade. A criação do mundo *ex nihilo* é mais do que meramente uma tarefa que Deus realiza; é seu *magnum opus*, seu *tour de force*.

Não é por acaso, então, que Paulo emprega a palavra *poiēma* para descrever seres humanos. Pois existe outra essência da palavra *poiesis*; é o que dá origem a nossa palavra *poesia*. A Nova Versão Transformadora expressa isso de um modo mais direto: "somos *obra-prima* de Deus". A totalidade do cosmo revela o gênio infinitamente criativo de Deus como uma expressão poética de sua própria natureza; e os seres humanos são o triunfo supremo desse poema. Nossa capacidade de conhecer Deus por meio dos sentidos está enraizada não num indulgente desejo em nós mesmos, mas sim na *plenitude*, a superabundante generosidade, de um Deus que expressa sua própria imagem criando o mundo e nos concebendo como o ápice da criação. Nossa interação com o mundo tangível não visa ser algo trivial, mas antes algo de suma importância. Somos únicos porque, ao contrário do resto da natureza criada, podemos compreender a criação como uma bela obra de arte saída da mente de Deus; e por causa disso, devemos interagir com a criação como um ato de louvor, devolvendo a beleza e a glória da criação ao único Deus em quem ela tem sua origem.

Isso é como deveria ter sido. E, no entanto, um rápido olhar para a natureza revela que algo deu terrivelmente errado.

O mais precioso frescor por trás do véu

No canto 56 de seu longo poema *In Memoriam A. H. H.*, Alfred Lord Tennyson refletiu sobre a morte precoce de seu querido amigo Arthur Hallam com apenas 22 anos de idade. Tennyson estava profundamente abalado pela morte de Hallam, e grande parte do poema questiona o significado da beleza e bondade diante da tristeza e pesar que também devem fazer parte da vida. O canto 56 direciona esse sentimento para o reino da natureza, no qual ele examina o amor e a esperança dos seres humanos à luz dos duros fatos dos ciclos naturais de vida e morte. A própria natureza com fria determinação fala das inúmeras "classes" e espécies que, na história geológica da antiguidade, desapareceram nas enormes catástrofes causadoras de extinção:

> Ela clama: "Mil classes já passaram:
> Nada me importa, todas passarão".[1]

Tennyson reconhece os seres humanos como suprema expressão criativa da natureza e se pergunta se a confiança deles de que o amor é a "lei suprema da Criação" será no final das contas concretizada, uma vez que o tempo todo a natureza em altos brados proclama uma terrível mensagem no sentido contrário:

> Embora a natureza com sangue em seus dentes e garras
> Do fundo da garganta gritasse contra seu credo.[2]

Tennyson se pergunta se no fim a natureza se imporá aos seres humanos, a mais bela e suprema criação, como fez com a outra multidão de espécies antes deles. Ele se pergunta se, quando o fim definitivo chegar, o ser humano simplesmente será

> Varrido ao léu como o pó do deserto,
> Ou trancado nas colinas de ferro?[3]

A resposta frustra Tennyson; ele não perde completamente a esperança, mas deixa a seus leitores apenas um mistério ambíguo simplesmente além da sua e da nossa compreensão:

> Que esperança de resposta ou correção?
> Somente atrás do véu, atrás do véu.[4]

Qualquer esperança que possa haver para Tennyson, ela permanece escondida atrás do "véu" do que a natureza nos apresenta. Para ele, toda a beleza do mundo está sempre prejudicada e obscurecida pela brutal ruptura da natureza. Será que Tennyson está certo acerca da decadência da natureza? Devemos aceitar essa sua circunspeção sobre a natureza?

Gerard Manley Hopkins nos oferece uma robusta visão alternativa em seu poema "A grandeza de Deus". Para Hopkins, Tennyson enxerga tudo ao contrário. O que se deve observar não é que existe a morte, mas sim que a beleza do mundo é duradoura e sempre presente. O esplendor é o inflexível coração palpitante do universo em tumulto. Hopkins descreve isso em vívidos, eletrizantes versos:

> O mundo está carregado da grandeza de Deus.
> Vai chamejar — chispas em sacudidas folhas de metal;
> Vai expandir-se — óleo imprensado escorre, tal e qual,
> E alaga. Por que o homem não teme o açoite dos céus?[5]

Aqui, Hopkins sugere que a humanidade não é simplesmente uma inocente espectadora ou vítima das maquinações da natureza, mas que, não prestando atenção ao esplendor de Deus na natureza, os seres humanos participam daquele espírito de destruição presente no universo. Provavelmente refletindo sobre o crescimento da industrialização de sua época, Hopkins sugere que o ser humano oculta o esplendor da natureza com suas "lides" e "tráfego", e que "O solo está desnudo, mas pés calçados não o sentem". No entanto, de algum modo, mesmo apesar desse espírito destruidor no seio da humanidade, a natureza nos dá uma visão da persistência da beleza em meio à perda e ruína:

> E, apesar disso tudo, a natureza nunca se esgota;
> Todas as coisas nela vivem num frescor renovado.[6]

Hopkins apresenta um ponto de vista incontestável: a natureza está obstinadamente repleta de vitalidade. Podemos constatar isso por tudo ao nosso redor. Ela pulsa em poderosas ondas eletromagnéticas emitidas por quasares a bilhões de quilômetros da terra e em revoltas ondas arrebentando contra rochosos litorais. Incontáveis folhas de grama forçam sua saída da terra numa desafiadora ação de vida, e aves migram ano após ano, procriando e retornando na estação apropriada para seu lugar de origem. Como Tennyson tão habilmente entretece em sua aflitiva poesia, é um mantra comum do naturalismo moderno discutir, nos termos mais clínicos e estéreis, a normalidade da morte na narrativa da natureza, a regularidade da extinção das espécies, mas, apesar disso tudo, que dizer da maneira como, segundo sugere Hopkins, a vida irrompe renovada em formas igualmente incontáveis, repetindo tudo de novo? Que vamos fazer com essa persistência? Que imagem vamos adotar: a da "natureza com sangue em seus dentes e garras", basicamente repleta de escuridão e morte, ou a da natureza na qual "Todas as coisas [...] vivem num frescor renovado", aquela natureza que, no final das contas, é bela e resiliente? Talvez a resposta seja tão complexa quanto a luta em nosso coração humano, a luta para vencer o pecado e a morte e abraçar a graça. Talvez ambas as narrativas, a de Tennyson e a de Hopkins, estejam dizendo a verdade ao mesmo tempo, e a chave de como lutar com o mistério esteja escondida dentro de nós mesmos.

A natureza e a graça

No magnífico filme de Terrence Malick *A árvore da vida*, duas narrativas são apresentadas em grande escala, entretecidas uma na outra: a narrativa da natureza, representada pela história do próprio universo, revelada numa grandiosa sequência de nebulosas e galáxias, que redemoinhando passam a existir, e épocas de grande surgimento e extinção de espécies; e a narrativa da graça, mediada por momentos de transcendente beleza do começo ao fim do filme. Jorros de luz na água ou infiltrações luminosas por entre as folhas de uma árvore; uma mulher dança com tanta alegria que seus pés por um breve momento pairam acima do chão. Essas metanarrativas são entretecidas na história de uma família americana que, em meados do século 20, viveu em Waco, no Texas. Trata-se, sob certos aspectos, de uma história quinta-essencial, tão onipresente como o sol e a chuva: um pai que trabalha duro para manter a família; uma mãe amorosa que se esforça para fazer o melhor por seus filhos e honrar o marido; dois filhos que são amigos e competem entre si e sentem medo e curiosidade em relação ao pai.

Rapidamente, os fios cósmicos da natureza e a graça começam a aparecer, entretecidos no cotidiano da história menor, e no começo eles desempenham seu papel de acordo com um entendimento previamente ordenado: a natureza é fria e não perdoa; ela começou em caóticas explosões de fogo, é sustentada por uma destruição impiedosa e avança inexorável para um final lamuriento com uma terra morta e um sol moribundo. A graça é, pelo contrário, transcendente, de outro mundo, envolvida numa transfiguração espiritual do mundo material. Alguns personagens parecem associados com a primeira narrativa, outros com a segunda. Um dos membros da família cisma: "A natureza só quer agradar a si mesma. Fazer que outros também lhe agradem. Gosta de dominar os outros. De ter as coisas do jeito dela. Ela encontra motivos para sentir-se triste quando o mundo inteiro brilha ao seu redor. E o amor está sorrindo em tudo".[7] É como se nós espectadores devêssemos entender que o mundo criado está arruinado e escuro, e que só por meio da transcendência dele e do envolvimento com uma etérea vida de graça de outro mundo podemos dominá-lo.

Somente mais tarde o espectador começa a perceber que a narrativa da natureza e da graça podem não ser mutuamente excludentes, e que são os próprios personagens que estabelecem os limites de um modo tão definido. Um personagem nos dá uma sugestão a esse respeito: "Ajudem-se. Amem a todos. Cada folha. Cada raio de sol. Perdoem".[8] É nos olhos de quem olha que a natureza se torna cruel e fria ou transcendente; o estímulo está em nós. Outro personagem faz uma citação quase literal de *Os irmãos Karamázov*, de Fiódor Dostoiévski: "Eu queria ser amado porque eu era grande... Não sou nada. Veja o esplendor que nos cerca: árvores, aves. Eu vivi na vergonha. Desonrei tudo e não notei o esplendor".[9] A narrativa da graça está ali à disposição de todos na natureza, mas nós somos os mediadores de como a recebemos. A natureza se torna um espelho de nosso eu íntimo. Se *A árvore da vida* estiver certo, o modo como interagimos no jogo entre a beleza e o quebrantamento na natureza será em grande parte determinado pela maneira como interagimos com a beleza e o quebrantamento de nós mesmos, por meio de nosso encontro com a graça. A natureza, em outras palavras, se parece muito conosco. A natureza, como nos diz Francisco de Assis, é nossa *irmã*.

A prática da ressurreição

Francisco de Assis tinha uma predileção pelo esplendor do mundo e pela presença e ação de Deus dentro dele. Numa época de turbulência e mudança na igreja, quando a espiritualidade se havia afastado de sua dedicação à simplicidade do evangelho, Francisco criou diversas ordens monásticas baseadas na regra da pobreza e no desapego das coisas materiais, na imitação de Cristo. Em parte, essa rejeição de desejos mundanos não era uma evitação do mundo criado em si, mas, em certo sentido, ela derivava do amor de Francisco pela criação e de sua consciência da glória já concedida por Deus por meio da natureza. Ele acreditava que, como nós, a natureza está manchada pelo pecado e precisa de redenção, mas também acreditava que a natureza, assim como nós, existe para louvar a Deus.

Em seu belo "Cântico do Irmão Sol", Francisco louva a Deus pelo modo como vários aspectos da criação expressam a imagem de Deus e a ele retribuem seu louvor. Em cada caso, Francisco se refere a esses elementos criados como "irmãos" ou "irmãs":

> Louvado sejas, meu Senhor, com todas as tuas criaturas,
> especialmente o Senhor Irmão Sol,
> que é o dia e pelo qual nos iluminas.
> Ele é belo e radiante com grande esplendor;
> e a ti se assemelha, Senhor Altíssimo.[10]

Observe como Francisco não apenas louva o sol por sua beleza, mas atribui essa beleza à semelhança divina de Jesus intrinsecamente estampada nessa sublimidade. Agindo assim, Francisco utiliza a elegância da poesia para aumentar nossa consciência da maneira pela qual a natureza expressa essa imagem. Ele prossegue elogiando Deus também pela terra, engenhosamente modificando o nome da mãe terra para "Irmã Mãe Terra".[11] Com isso, ele afirma o antigo entendimento da terra como sendo aquela da qual extraímos nosso sustento para a vida do dia a dia; no entanto, como nós, a terra tem seu início fundamental no Pai, que está acima de ambos, o sol e a terra, e acima de tudo.

Mas em seguida, numa abrupta e surpreendente guinada, Francisco volta-se para um aspecto da natureza aparentemente incompatível com a bondade de Deus, um aspecto que, como já vimos, Tennyson temia acima de tudo: a morte. Assim como o sol e a lua, ou os elementos do vento, da água e do fogo, a morte, na visão de Francisco, é também nossa irmã:

> Louvado sejas, meu Senhor, pela nossa Irmã Morte Corporal,
> da qual nenhum homem vivente pode escapar. [...]
> Bem-aventurados os que a morte apanha em tua santíssima
> vontade,
> pois a segunda morte mal nenhum lhes causará.[12]

O que Francisco expressa aqui é uma esplêndida, universal verdade do evangelho: a morte, para os cristãos, é simplesmente o prólogo da ressurreição, pois como Cristo passou pela morte e foi ressuscitado para uma vida nova, assim também a nossa passagem pela morte nos leva àquela vida com ele. No entanto, pela integração de nossa morte como um elemento do mundo criado que participa da revelação da bondade de Deus para conosco, Francisco nos mostra como nossa vitória sobre a morte não é simplesmente uma vitória nossa, mas é a vitória da ação de Deus: "Por meio do sangue do Filho na cruz, o Pai fez as pazes com todas as coisas, tanto nos céus como na terra" (Cl 1.20). Quando nós que fomos redimidos em Cristo reconhecemos a aparência da morte na natureza, ela já não funciona como uma declaração de nossa finitude, mas sim como uma vívida imagem do desejo de que todas as coisas sejam renovadas.

Paulo nos diz que "até agora, toda a criação geme, como em dores de parto" (Rm 8.22). É um pensamento bonito, esse de que a natureza também está destinada a algum tipo de redenção. No entanto, como poderíamos de algum modo saber que isso é verdade? De que fonte devemos haurir nossa esperança de que a criação será redimida? Paulo nos esclarece nesse ponto: "E nós, os que cremos, também gememos, embora tenhamos o Espírito em nós como antecipação da glória futura, pois aguardamos ansiosos pelo dia em que desfrutaremos nossos direitos de adoção, incluindo a redenção de nosso corpo" (Rm 8.23). Nosso corpo, como parte do mundo criado, em razão de nossa corrupção espiritual e física, anseia pela restauração; e se nosso corpo, como parte desse mundo, está destinado à restauração, então também o mundo no qual ele agora existe deve ser reconduzido a seu esplendor original.

A ressurreição não é apenas uma bela ideia abstrata. É antes um acontecimento revelador da verdade que *já ocorreu na criação do próprio mundo* e continua prenunciando nosso futuro destino. Acreditar na ressurreição do corpo significa acreditar que o mundo no qual nosso corpo existe no tempo presente será, de algum modo, restaurado e recriado, exatamente como nós. Não só não podemos ignorar a natureza; ela é o espaço perfeito que nos é concedido como uma maneira de *imaginar a ressurreição.*

A natureza nos apresenta, em grandes caracteres, uma visão da complexidade de nosso desejo de participação em Deus; nossa queda na desgraça e a corrupção que decorre do pecado; e a persistência da beleza, da ordem e da bondade — exatamente como nós, na qualidade de seres humanos, sempre carregamos a imagem de Deus como um selo sobre nossa própria essência. Ela, como nós, anseia pelo dia em que será de novo restaurada por aquele que, no início, lhe deu existência. A natureza é o painel cósmico do drama do pecado e da redenção, almejando com gemidos, que se confundem com os nossos, pelo momento final quando Cristo haverá de restaurar todas as coisas para uma perfeita participação em Deus. Na natureza, não podemos separar a decadência do mundo do fato que, de certo modo, em meio a desastres naturais e enfermidades e a recorrência da morte, nós sempre nos confrontamos com a beleza, a ordem, a estrutura, o *cosmo*. A natureza nos força a manter essas coisas juntas em tensão, por meio da única maneira pela qual possivelmente conseguimos suportar essa tensão: por meio da percepção sensorial. Como Jacó lutando com o anjo, devemos nos atirar de cabeça no turbulento redemoinho do desconhecido, entrando na criação tal como sabemos que ela é mediante nosso encontro com ela; não mediante o que desejamos que ela talvez fosse em nossas mais extravagantes imaginações, nem nos entregando totalmente ao caos de nossos piores sonhos, mas sim mediante a verdade do que ela nos diz por meio de cada tangível ponto de contato. Temos de agarrá-la com força até que as articulações dos sentidos fiquem brancas com o esforço, e declarar a ela o que Jacó disse aos gritos a seu oponente: "Não o deixarei ir enquanto não me abençoar" (Gn 32.26). Desse modo, nós seremos entremeados no padrão do tecido da criação que, como nós, está aos pedaços e, no entanto, ainda anseia pela renovação em Cristo, anseia retornar àquele em quem ela tem sua fonte e assim mais uma vez ver restaurado seu esplendor. Se formos fiéis a ponto de persistentemente abraçar a natureza, buscar o esplendor e a graça no meio de sua imperfeição e confusão, de algum modo descobriremos escondido dentro dela aquilo que Tolkien chamou *eucatástrofe*: a súbita alegria no fim de um longo sofrimento. Em nosso abraço dado à natureza e sua persistente beleza, experimentaremos um poderoso encontro sensorial com a obra daquele que ressuscitou, que está revertendo a maré das trevas. Em nosso abraço dado à natureza, nossos suspiros de libertação repercutirão com o grito de todo o próprio universo pedindo para renascer numa vida nova mais uma vez.

Criados para boas obras

Cada dia é uma escolha entre a resignação reativa à aparente entropia ao nosso redor e a disposição proativa de enxergarmos a glória criativa ao nosso alcance. As apostas são muito altas; enxergar a glória não é simplesmente um reconhecimento passivo de algo belo, mas é, em vez disso, uma disposição ativa a participar. Ceder ao desespero é o ato passivo; é a resignação a ser consumido. Contemplar a glória da natureza não significa ignorar as trevas. Pelo contrário, é a disposição de participar na criativa introdução da luz *nas* trevas. As trevas não têm por si sós nenhum poder; o estático vazio das trevas murcha ante a presença dinâmica da luz. Quando nos permitimos penetrar na natureza e contemplar o persistente esplendor em meio à confusão e ao desespero, nós nos armamos como coautores colaborando na imaginativa recriação de todas as coisas.

Em nossa conversa anterior sobre Efésios, descobrimos que somos o *poíēma* de Deus, sua "obra-prima". Fomos criados para reconhecer a beleza, a ordem e a bondade de Deus no âmbito grandioso da criação e em nós mesmos. Como ápice da obra criadora de Deus, nós temos a capacidade de responder a esse reconhecimento oferecendo nossa participação no mundo na forma de adoração a Deus. Mas há um segundo elemento naquele versículo, logo depois da vibrante declaração de Paulo sobre a obra criadora de Deus em nós, que nos permite um entendimento de *como* oferecer a Deus essa participação: "Pois somos obra-prima de Deus, *criados em Cristo Jesus a fim de realizar as boas obras que ele de antemão planejou para nós*" (Ef 2.10, ênfase acrescentada). Somos poemas vivos, criados num mundo de expressão poética, e embora nós, e o mundo conosco, tenhamos sido separados da graça dessa poesia devido ao nosso pecado, somos em Cristo restaurados para a beleza do verso. Somos convidados mais uma vez a participar da *poiesis* em curso que nunca cessou na atividade de Deus, mas da qual, em Jesus, estamos capacitados a participar de novo. E assim como por nosso intermédio o pecado entrou no mundo, por intermédio de Jesus somos chamados a repoetizar o mundo de novo.

Isso é o que Tolkien denominou "subcriação". Para ele, a nossa interação com os aspectos sensoriais do mundo — especialmente mediante o uso desses aspectos sensoriais como expressão na música, nas narrativas e em outras formas artísticas — é a nossa participação na criatividade redentora de Deus em sua restauração do mundo. Quando criamos ou imaginamos, quando cantamos ou escrevemos ou pintamos ou mesmo quando preparamos uma deliciosa refeição, estamos atuando como subcriadores, permitindo que Deus opere sua restauração criadora por nosso intermédio. Tolkien diz isto em seu ensaio "Sobre estórias de fadas":

> Cada subcriador aspira em certa medida a ser um verdadeiro criador, ou espera estar se baseando na realidade: espera que a peculiar qualidade desse mundo secundário (embora não em todos os detalhes) derive da Realidade, ou esteja fluindo para ela. [...] A qualidade peculiar do "prazer" numa obra de fantasia

bem-sucedida pode assim ser explicada como um súbito vislumbre da realidade ou verdade subjacente.[13]

Em outras palavras, a maneira como expressamos nossa criatividade no mundo pretende derivar da atividade redentora de Deus já atuante na criação e por meio dela. Todos os instrumentos de nossa participação na restauração de Deus já nos são dados pela natureza, desde a musicalidade de um cosmo sinfônico até a proporção e elegância de cores, texturas e formas no mundo natural que nos cerca. Somos convidados a usar cada um desses instrumentos para entender nossa participação na restauração, na subcriação. Nos capítulos subsequentes, exploraremos muitos desses elementos e consideraremos como podemos interagir com eles e entendê-los, para que possamos participar da vida da subcriação, atuando como as mãos e os pés da obra redentora de Deus no mundo. Começamos nossa exploração no capítulo seguinte tratando da música.

Exercícios sensoriais

- Faça uma caminhada por aí onde haja um pouco de verde natural: um parque, um jardim botânico, um arboreto, uma trilha para caminheiros, um pomar, uma floresta, uma praia. Antes de começar, peça a Deus que lhe abra os sentidos para você enxergar a presença dele. Leve consigo uma prancheta e uma caneta e, à medida que for caminhando, descreva suas experiências sensoriais. Que cores você vê? Que cheiros sente? Que sons se ouvem ao seu redor? Que texturas interessantes surgem no caminho, e como você as sente? Talvez você até venha a descobrir alguma coisa para degustar!

- A certa altura de sua caminhada, descubra um lugar para sentar-se e observar em silêncio o mundo ao seu redor durante alguns minutos. Responda às seguintes perguntas: Durante seu tempo de repouso, você viu, ouviu ou observou alguma coisa surpreendente? Provou alguma coisa que o deixou inseguro? Houve algo que lhe deu prazer?
- Se você puder durante o momento de observação (se não puder, depois de terminada a sua caminhada), eleve uma oração a Deus expressando as várias coisas que experimentou; peça-lhe que o ajude a ter um olho capaz de reconhecer a presença dele em sua experiência da natureza.

4
CÂNTICO DA CRIAÇÃO

Sentir a presença de Deus na música

A música expressa aquilo que é indizível e
sobre o que é impossível se calar.

VICTOR HUGO

Foi com uma calada expectativa que nós todos em fila deixamos para trás o ruído e alvoroço do trânsito da volta para casa no centro de Londres para entrar no auditório e aguardar a apresentação do dia. Algo único envolve o Royal Albert Hall, que sempre evoca a iminente chegada de algo significativo, mas aquela noite, entre os muitos lá reunidos, uma quietude mais profunda transparecia, para além dos trajes elegantes e dos sorrisos do público. Essa quietude era contida na calma dos rostos, no murmúrio das vozes. Mesmo antes que o grupo vocal The Tallis Schollars adentrasse o palco para iniciar sua apresentação, havia uma atmosfera solene na plateia, um entendimento coletivo, mesmo sem a experiência da música por vir, do que em nossa reunião iríamos comemorar.

As luzes se apagaram e o murmúrio tornou-se um silêncio cheio de expectativa. Saindo daquele silêncio, a música fez-se ouvir num *crescendo*. Um cálido, harmonioso fundamento de cordas em suspensão invadiu o expectante espaço, agraciando-nos como uma suave brisa, e depois com igual rapidez desapareceu, voltando o silêncio como uma possível pergunta. De súbito, invadindo o vazio daquela indagação irrompeu um assombroso e pontilhista grito: *Fos*. É a palavra grega para luz. Com a rapidez com que veio, se foi. Mais uma vez as cordas soaram, mas estavam sendo transformadas; uma dissonância começou a entrar na nova paisagem sonora, um sutil mas fortemente indócil traço irrompendo na serenidade do sonoro fundamento original. De novo, como que desafiadoramente intrometendo-se na confusão, a harmoniosa e rejubilante declaração de *fos* reverberou no expectante espaço, como se quisesse ver a dissonância aniquilada, incapaz de tocar a vibração do que foi estabelecido. Em idas e vindas, a dança da discordância e concordância rodopiou no espaço aberto do auditório, uma dramática e fascinante batalha das brilhantes, inabaláveis vozes contra os sempre cambiantes e cada vez mais estridentes tons das cordas embaixo, até que finalmente a luz se esparramou, cobrindo tudo e enchendo o espaço com exuberante mistério e infinitude. Essa não era uma luz que aparecia e desaparecia, uma fugaz dança de luminosidade que pousa sobre nós e logo se vai. Essa era uma luz do céu, a luz na qual Deus habita, o esplendor que o apóstolo Paulo afirma em 1Timóteo 6.16 ser "tão resplandecente que nenhum ser humano pode se aproximar dele". É essa luz, esse inacessível esplendor, que poderia nos reduzir a cinzas sem pensar duas vezes, que de algum modo, por meio da invocação do Espírito Santo, poderia habitar em nós. Uma luz brilhando nas trevas, que as trevas não conseguiram reconhecer. Foi essa luz que foi invocada, uma luz enraizada na *doxa* — a glória —, uma luz que cada coração naquela sala aquela noite pediu que se tornasse real em cada um de nós.

Isso porque essa não era uma noite comum. Era 4 de agosto de 2014, exatamente cem anos depois que naquele dia, naquela hora, naquele exato minuto, a Inglaterra havia declarado guerra contra a Alemanha. Estávamos lá para relembrar as trevas de quatro anos sangrentos, brutais, um tempo em que o mundo mergulhou no caos e confusão, um tempo em que parecia que a luz poderia ser extinta e para sempre perdida, sepultada no lodo e na lama da morte e destruição.

Para invadir essa impossível, angustiante visão do mundo, a luz era invocada, testando a resistência daquelas tão poderosas trevas. Eram de fato trevas palpáveis; pois quando aqueles momentos de música haviam concluído sua declaração inicial de glória, um ator sombriamente surgiu no palco e entoou as palavras do secretário de Estado britânico para assuntos estrangeiros em 1914, Sir Edward Grey, ao refletir sobre a guerra iminente: "As lâmpadas estão se apagando por toda a Europa. Nós não voltaremos a vê-las acesas durante a nossa vida".[1]

Depois disso, por toda a sala, as luzes do teatro foram realmente apagadas, e as trevas caíram sobre todos nós. Nunca antes e nunca depois experimentei um silêncio tão completo numa sala com tanta gente; era um silêncio que não nascia simplesmente da reverência cívica de um povo que tem um senso profundo de sua história, como muitas vezes acontece com os ingleses. Nascia do imediatismo das trevas em nosso coração, da contínua presença da discórdia, dor, tristeza que se prolongam de inúmeras formas em nosso próprio tempo e em nossa própria vida. Sim, tínhamos sido capturados pela invocação da luz, mas as trevas nos haviam deixado sem palavras, incapazes de abrir os lábios, aguardando uma resposta.

Foi naquele opressivo, prolongado silêncio que uma nova música começou a retumbar:

Cordeirinho, quem te fez
Tu lá sabes quem te fez[2]

As simples, delicadas palavras do místico poema de William Blake "O Cordeiro" eram discordantes; não apenas por serem uma aparentemente débil resposta a uma espetacular e pesada influência do mal e desespero, mas também porque a música em si estava impregnada de discordância. De certo modo, ela emoldurava perfeitamente nossa sensação de confusão, de suspense, mas não porque tivéssemos sucumbido às trevas. Pelo contrário, porque em meio a esse entrelaçamento de trevas e delicadeza, nós éramos chamados para a luz que só recentemente havia sido extinta. Nessa música acontecia o encontro com o Cordeiro que, tomando sobre si nossa desarmonia e dissonância, caminhou para o meio de nossas trevas e nos trouxe luz, nos trouxe consonância e beleza. Provindo da radical dissonância da autodoação do Cordeiro, nós receberíamos a consonância da luz da resolução, que fora plantada no solo de nosso coração.

À medida que cada voz começava a entretecer-se com todas as outras partes, em algum canto da sala acendia-se uma vela. E depois, de repente, aquilo nos envolveu a todos, uma suave mas desafiadora luminosidade, desafiando-nos a cintilar contra as trevas.

E vendo o entrelaçamento da penosa, iluminada música com a acumulada sombra das trevas, nós sabíamos que nada poderia extinguir aquela frágil luz.

De certo modo, o que antes era mera harmonia havia-se transformado numa palavra que ultrapassava nossa capacidade de comunicar. A luz das velas era a prova luminosa do que a música fizera em nosso coração. Quando saímos daquele espaço para a noite de Londres, cada um de nós estava inflamado pelo fogo, a Luz Santa, ardendo em nossa alma.

Veja, naquela noite de Londres não bastava simplesmente conhecer a luz. Numa noite impregnada com aquela desafiadora lembrança, precisávamos mais do que simplesmente ouvir que aquela luz era real; precisávamos experimentá-la. A música havia tomado meras palavras, expressões estáticas de coisas como luz e cordeiros, e as havia santificado. Ela havia direcionado nosso espírito para além da simples aceitação de uma ideia, um conceito, e havia infundido em cada conceito um significado, contendo uma verdade indizível com meras palavras. Cada pessoa no auditório aquela noite tinha um conhecimento intelectual da luz, mas diante daquilo que tínhamos de passar, precisávamos que aquela luz se tornasse evidente em nós. E foi um sopro, exatamente como o sopro do Espírito Santo, o portador da luz, que em altos brados gritou as harmonias profundamente enterradas em nossa alma, ali implantando a luz como uma promessa. Não fomos simplesmente informados sobre a luz; fomos transformados em participantes dela mediante uma forma de expressão mais profunda que palavras. E quando estávamos em meio à nossa descida para as trevas, aguardando em silêncio, almejando que aquela luz tomasse forma e se tornasse para nós um conforto, foi a música que tornou o Cordeiro, o *nosso* Cordeiro, real e palpável. *Quem te fez...* A dissonância tornou a pergunta muito mais urgente na confusão das trevas, e quando a resposta foi verdadeiramente dada, ela nos mostrou a verdade: *Nós temos o nome dele.*[3] Juntamente com toda aquela multidão que lá se havia reunido, ergui minha vela contra a escuridão.

Esse é o poder da música; a música atua no mundo do encontro, que nos leva além da condição de observadores e nos convida a sermos participantes. Inerente na música está o conhecimento de que algumas verdades não podem ser conhecidas simplesmente por meio de palavras, mas devem em vez disso ser encontradas. As palavras com certeza podem plantar a semente da verdade no solo de nosso coração, mas a música anima a semente da verdade enterrada dentro de nós e a faz crescer. Nos momentos mais significativos da vida, utilizamos a música para nela embutir as ideias que pretendemos comunicar com sentido. Temos música de réquiem para funerais e marchas nupciais para cerimônias de casamento; muitos de nós conhecem de cor o "toque de alvorada" e o "toque de recolher", ou outras melodias semelhantes da música cívica, e o simples som dos acordes iniciais do hino nacional pode nos fazer instintivamente ficar de pé ou pôr a mão direita sobre o coração. A música tem todo esse poder de invocar nossas paixões, nossos afetos. A música expressa a voz interior que é incapaz de comunicar-se por meio da palavra falada e articula uma paisagem espiritual na qual acreditamos automaticamente, mas que muitas vezes achamos muito difícil torná-la uma realidade em nossa vida.

O hino do cosmo

Gregório de Nissa, bispo capadócio e pai da igreja do século 4, tinha um relacionamento especial com a música. Para ele, assim como para muitos pais da igreja que mencionamos no último capítulo, o universo inteiro está provocadoramente repleto até a borda com a presença e atividade de Cristo. E Gregório levou essa visão cósmica ainda mais longe. Para ele, toda a criação é um hino cantado em louvor à Trindade e é regido pelo próprio Deus. Gregório viu na vastidão da variedade e expressão da criação uma unidade singular, viu como na multidão das partes em movimento da natureza existe uma grandiosa totalidade. Do mesmo modo como uma orquestra, composta por dezenas e mais dezenas de instrumentos e artistas diferentes, consegue ainda assim em conjunto executar uma única peça sinfônica sob a batuta do maestro que a conduz, assim também o universo, com toda a sua multiplicidade e diversidade, junta-se numa unificação de glória. Para Gregório, o dinâmico movimento de todo o cosmo é "uma harmonia musical que produz um uniforme e maravilhoso hino ao poder que controla o universo".[4] Em outras palavras, a própria trama e urdidura do tecido do cosmo apresenta-se a nós como algo melódico, algo lírico, algo *musical*. O conjunto inteiro da natureza é uma *canção*. E não só isso; sendo nós aqueles que entendem e conseguem enxergar, que conseguem ouvir essa canção e a ela responder, nosso propósito como seres humanos é assumir essa canção de louvor. Fomos criados para *ser musicais*.

Assim como os outros pais da igreja, Gregório se ocupa do conceito de microcosmo e macrocosmo, coisas pequenas que são a perfeita imagem miniatural de algo muito maior, mas para Gregório esse conceito só faz sentido por meio da lente da música. Conseguimos nos envolver com o divino por meio da música porque a música que criamos e ouvimos como seres humanos participa como uma pequena parte da vasta música do próprio cosmo, conduzida por Deus. Se o universo é fundamentalmente musical, então os seres humanos, que são um microcosmo do universo, foram criados especificamente para a música. Para Gregório, não só a totalidade de nosso corpo foi feita para cantar; ele também acha que o corpo humano é como um instrumento. Nossa traqueia é como uma flauta; nosso palato é como "o arco de uma lira"[5] (instrumento antigo semelhante à harpa). Fomos feitos sob medida para louvar a Deus. Sobre essa visão, Hans Boersma diz que "o propósito da vida, segundo Gregório, é produzir música".[6]

Assim, talvez não deva surpreender que na comunidade cristã em que estava inserido Gregório na Capadócia do quarto século, hinos de louvor fossem ouvidos pela primeira vez, hinos que resistiram aos séculos e que muitas igrejas ainda incluem hoje em dia em seus cultos. Esses hinos foram compostos para as orações da manhã e da noite e expressavam a bondade de Deus por meio de sua criação, justapondo a luz da criação à luz de Cristo, exatamente nas horas em que a iluminação do sol chegava com o amanhecer ou cedia seu lugar à luz noturna de lampiões. O título do hino escrito para a oração da noite denuncia a subliminar mensagem da luminosidade: "Ó Luz jubilosa". O texto, como foi traduzido e repetido no Livro de Oração Comum, revela a esplêndida interação entre a luz divina e a luz da criação:

> Luz animadora,
> claridade pura do sempiterno Pai celestial,
> Jesus Cristo, santo e bendito.
>
> Agora que chegamos ao ocaso do sol,
> e nossos olhos veem a luz vespertina,
> te adoramos com hinos, ó Deus:
> Pai, Filho e Espírito Santo.[7]

Para esses crentes dos primórdios, o hino de Vésperas era a parte central da oração da noite. A música de adoração tornou-se a forma de responder à magistral música do cosmo criado por meio de Cristo. Cantando esse hino de louvor na hora de acender as lâmpadas, antigos cristãos como Gregório participavam de um profundo e transformador entendimento do poder da música: quando interagimos com a música, tanto ouvindo-a como participando na beleza de sua produção, nós repercutimos a canção que Deus está cantando no universo e por meio dele. A música eleva a totalidade de nosso ser para as alturas inserindo-o na canção da totalidade da criação, regida pelo próprio Deus.

Construindo pontes sobre o eterno divisor

A música é o tecido conjuntivo entre nossa vida terrestre, tangível, e o movimento intangível do divino em todas as coisas e por meio delas. Como disse o falecido poeta e filósofo John O'Donohue:

> Existe algo ainda mais profundo no modo como a música nos impregna. Em contraste com todas as outras formas de arte, ela nos atinge de um modo mais imediato e total. [...] É como se a música chegasse àquele sutil limiar dentro de nós onde a alma se encaixa no eterno.[8]

A música funciona como um caminho vital que conduz à participação da realidade eterna além da nossa, a realidade eterna que tanto se esquiva quando tentamos envolvê-la com nosso pensamento. Ela sonda o âmago tanto de nosso mais profundo anseio quanto do paradoxal medo do desconhecido implicado nesse anseio. Sabemos que, em Cristo, somos restaurados para participar da vida de Deus e estamos destinados a ressuscitar para a vida eterna na presença de Deus. E, no entanto, como vamos nós, em nosso corpo finito e com nosso intelecto limitado, começar a entender a incompreensibilidade da eterna, divina palavra de Cristo, gerado por seu

Pai antes de todos os tempos, que entrou no nosso tempo, assumiu a nossa carne, esvaziou-se de sua infinita glória celestial e habitou num frágil, finito corpo humano?

O medo do desconhecido implícito no conceito de eternidade é um medo que nos sobrevém até mesmo na infância. Sabemos que queremos ardentemente continuar vivendo, mas não podemos imaginar como talvez fosse viver para sempre; embutida em nosso frágil corpo está a consciência instintiva do pesado tributo que ferimentos, doenças e a velhice cobram de nós. A própria ideia de uma eternidade assim, compreendida apenas por meio do intelecto, não nos conforta; pelo contrário, nos faz tremer de medo. A mente finita não consegue captar o que não consegue imaginar, e o eterno não está ao alcance da mente humana; o eterno permanece oculto em nosso coração. Como diz Eclesiastes: "Ele colocou um senso de eternidade no coração humano, mas mesmo assim ninguém é capaz de entender toda a obra de Deus, do começo ao fim" (Ec 3.11). Em nossa própria essência há uma eternidade que o corpo e a mente não conseguem entender. Nosso pensamento racional só nos pode levar até a borda do precipício daquilo que é analiticamente compreensível. Além desse ponto há trevas que a mente não consegue transpor; apenas algo além do próprio intelecto pode talvez nos guiar.

Nosso coração, lembre-se, é uma máquina de sacramentos. Essa máquina toma meras informações e atribui significado a esse conhecimento racional, conferindo-nos a capacidade de reconhecer a presença de Deus no mundo e de responder a ela na forma de louvor e participação. Naturalmente, no próprio âmago do mundo sacramental está Cristo em pessoa: por meio dele o mundo todo foi criado; por sua encarnação, morte e ressurreição o mundo foi redimido; e nele o mundo está destinado a ter sua restauração quando Cristo reconciliar consigo mesmo todas as coisas. O anseio de nosso coração de participar da realidade sacramental que imbui a totalidade da criação nunca é um vago envolvimento com uma presença divina sem nome, mas sim um encontro com a pessoa de Jesus, a ponte entre o humano e o divino. Jesus é aquele por meio do qual temos acesso à plenitude da vida em Deus; aquele que nos recupera do pecado e decadência e nos restaura para a vida no Pai.

Quando introduzimos Cristo em nossa vida, sua presença reanima o secreto dom do eterno inscrito em nosso coração. Caminhar com Cristo não é simplesmente concordar com a ideia de quem ele é, mas é experimentar sua vida restaurando a nossa e reorientando os olhos do nosso coração para a sua realidade celestial. O'Donohue acreditava que esse é realmente o espaço de transição que a música preenche e ao qual atribui significado:

> Sempre parecemos nos esquecer de que a alma tem duas faces. Uma face está voltada para a nossa vida; ela anima e ilumina cada momento de nossa presença. A outra face está sempre voltada para a presença divina. [...] Talvez esse seja o ponto de onde flui a mística profundidade da música: aquele limiar onde a face da alma se imbui da estranha ternura da iluminação divina.[9]

Em outras palavras, a música atua como uma espécie de tecido conjuntivo entre a verdade do eterno oculta em nosso coração e nossa interação com o mundo tangível que nos cerca. A música se torna um meio para contemplarmos Jesus, para entendermos, mesmo sem saber como articular com palavras, mesmo dentro das limitações de nossa forma finita, o que significa estar *em Cristo* e antecipar a realidade celestial que ele por seu próprio intermédio nos possibilitou. O Jesus que convidamos a entrar na construção de nossa vida é o Rei que eternamente reina sobre toda a criação, transcendente em celestial majestade à direita de seu pai e, no entanto, bem perto de nós. Como nos diz Hebreus, Jesus mesmo agora está "no lugar de honra à direita do Deus majestoso no céu" (Hb 1.3); e, no entanto, esse é o mesmo Jesus que caminhou pelas estradas da terra, segurou mãos humanas, tocou e curou inúmeras pessoas sofredoras. Esse mesmo Cristo está em cada um de nós, e nele a eterna realidade que o Eclesiastes diz estar oculta em nosso coração é animada e ganha vida. A primeira carta de Pedro expressa a alegria dessa verdade: "Agora temos uma viva esperança e uma herança imperecível, pura e imaculada, que não muda nem se deteriora, guardada para vocês no céu" (1Pe 1.3-4). Embora vivendo num lugar despedaçado, um mundo ainda sem restauração, nós sabemos que somos destinados à redenção, à recriação de todas as coisas e à ressurreição para a vida eterna em Cristo. A música nos ajuda a compreender a alegria daquilo que nossa mente finita e imperfeita ainda não consegue entender, permitindo que nos envolvamos com o conhecimento sacramental do já-e-ainda-não de nosso futuro eterno em Cristo. Ela realiza isso atraindo-nos afetivamente para um conhecimento íntimo daquela glória que ultrapassa o mero entendimento intelectual. A música nos capacita, como diz Pedro, a nos regozijarmos "com alegria inexprimível e gloriosa" (1Pe 1.8).

A música da quietude celestial de Messiaen

Como muitos outros de sua época, Olivier Messiaen, o grande compositor francês do século 20, viu-se envolvido na turbulência da Segunda Guerra Mundial. Numa situação que certamente deve ter parecido o fim do mundo, enquanto estava internado num campo alemão para prisioneiros de guerra, Messiaen compôs o trabalho que mais tarde seria reconhecido como sua obra-prima, *Quarteto para o fim do tempo*. Embora composto numa atmosfera lúgubre envolvendo um tempo de profunda escuridão, o *Quarteto* não é de modo algum uma obra desprovida de esperança. Pelo contrário, celebra o anseio pela completude de todas as coisas em Jesus no fim do tempo, quando todos para sempre contemplaremos o Cristo eterno com os olhos desvendados. Em dois movimentos específicos, "Louvor à eternidade de Jesus" e "Louvor à imortalidade de Jesus", Messiaen compõe expansivas, tranquilas paisagens sonoras de piano e cordas. No segundo movimento, a efervescente melodia do violino gradativamente se junta ao acompanhamento do piano semelhante a um batimento cardíaco que sobe rumo a uma nota mais aguda, que depois suave e calmamente se esvai em puro silêncio. Eis o que Messiaen escreveu sobre esse momento:

> Por que esse segundo tributo de louvor? Ele se refere mais especificamente ao segundo aspecto de Jesus: Jesus o Homem, a Palavra que se fez carne, imortalmente ressuscitada para nos transmitir sua vida. Esse movimento é amor puro. A progressiva ascensão rumo ao registro extremamente agudo representa a ascensão do homem rumo ao seu Senhor, do Filho de Deus rumo ao seu Pai, do Homem deificado rumo ao Paraíso.[10]

Messiaen se serve do poder emotivo da música a fim de levar seus ouvintes para mais perto da ascensão ao céu do Cristo encarnado, conduzindo-os, por intermédio do mundo da experiência deles, numa viagem que o mero alcance intelectual da ideia de eternidade não consegue proporcionar. Messiaen se serve da música para despertar no coração de seus ouvintes o anseio pela paz eterna que algum dia será nossa em Cristo, embora permaneçamos envolvidos nas lutas e labutas de nossas circunstâncias terrenas.

A primeira *performance* da obra se deu no próprio campo de concentração, tendo guardas bem como prisioneiros na plateia. Etienne Pasquier, um colega interno de Messiaen e o violoncelista na primeira *performance* — bem como um agnóstico — descreveu a cena durante a apresentação, recorrendo a um vocabulário espiritual para descrevê-la: "Todos ouviram de modo reverente, com um respeito quase religioso, inclusive aqueles que estavam ouvindo música de câmera talvez pela primeira vez na vida. Foi algo 'miraculoso'".[11] Por intermédio da música, Messiaen transportou uma disparatada plateia repleta de gente em inimizade uns com os outros para um espaço celestial, na contemplação de Cristo. A música superou as limitações das circunstâncias do mundo em que Messiaen estava imerso, um mundo de destruição e desespero, e provocou uma consciência da eterna invasão da paz celestial de Cristo.

E exatamente como a música pode nos transportar para as alturas da consciência divina que ultrapassa nossa capacidade de captação racional, assim também a abrangência de seu alcance tanto desce profundamente em nossa experiência humana como sobe rumo à vida divina. Ela desce penetrando nossas mais potentes tribulações e mágoas e as santifica com a iluminação de Cristo, o Deus que padeceu e que está mais presente para nós e nossos sofrimentos mais profundos.

Saindo das profundezas

O compositor escocês James MacMillan muitas vezes desenvolveu o tema da presença e do sofrimento divinos em sua música de concerto. Suas composições estão frequentemente repletas de dissonâncias desafiadoras e passagens tumultuadas, mesmo quando — ou talvez especialmente quando — ele compõe música sobre temas que envolvem Jesus e sua encarnação. Ele descreve por que isso acontece:

> A música é a mais espiritual das artes. Mais do que qualquer outra arte, a música parece penetrar nas fendas da experiência humana-divina. A música tem o poder de sondar o abismo bem como de transcender as alturas. Ela consegue incendiar os mais sombrios e conflitantes extremos da sensibilidade e é nesses lugares escuros e esquálidos, onde a alma provavelmente mais se aproxima de sua fonte, na qual ela tem seu relacionamento com Deus, que a música pode despertar a vida que por muito tempo permaneceu dormente.[12]

Para MacMillan, a capacidade da música de expressar a abrangência plena da emoção humana coletiva significa que ela pode instilar transcendência em meio a nossas lutas e tristezas imanentes. A densa história oculta nas profundezas da vida de Jesus consiste no fato de que sua ressurreição emerge da total amplitude das trevas sobre as quais ele declara vitória. Em seu sofrimento na cruz, o próprio Deus entra em nosso abandono, em nossos momentos mais excruciantes, nossas experiências mais sombrias e solitárias, e lá se encontra conosco. Quando vivemos nossos piores momentos, é aí que a encarnação de Jesus se expressa do modo mais profundo, pois não há profundidade que Deus não atinja para estar conosco, para nos confortar com sua presença.

Grande parte do mundo musical de MacMillan está construído sobre essa ideia singular; quando o tema da música que ele compõe é Cristo e sua encarnação, MacMillan na maioria das vezes trabalha com o vernáculo sonoro de atribulados choques rítmicos e uma angustiante cacofonia. Desse modo, sua música nos revela, por meio de uma experiência afetiva, que Deus está "perto dos que têm o coração quebrantado" (Sl 34.18), como nos diz Salmos, e que Jesus, o homem que "conhece o sofrimento mais profundo" (Is 53.3), é a expressão revelada do Deus que nos ama e participou de nossas experiências mais difíceis.

Mesmo em sua música mais refinada, essa ideia se enraíza no modo como ela desafia seus intérpretes, sempre forçando um pouco mais suas vozes para produzir essa beleza. Seus Motetos Strathclyde, uma coleção de breves peças corais que ele compôs para que fossem acessíveis a coros de igreja, muitas vezes se concentram no tema de Cristo como uma luz entrando em nosso mundo. Um dos mais populares motetos dessa coleção, "Ó Radiante Aurora", inclui palavras que guardam uma surpreendente semelhança com *Phos Hilaron*, palavras extraídas e traduzidas de um dos primeiros cânticos cristãos, o cântico "Ó Oriente":

> Ó Radiante Aurora,
> esplendor de luz eterna, sol de justiça:
> vem e ilumina os que vivem nas trevas
> e na sombra da morte.[13]

No entanto, embora as palavras sejam numinosas, assim como a música também é, o compositor mostra como ele queria que as peças também desafiassem e forçassem seus intérpretes e os ajudassem a entender a genuína realidade da encarnação, vindo até nós exatamente no meio da árdua luta da existência terrestre: "Deve haver uma sensação de enxerto físico envolvendo a música mais espiritual. [...] Ela deve ser fisicamente intensa".[14] MacMillan não quer que deixemos de perceber a preciosidade da glória, o modo pelo qual ela revela a plena consequência da encarnação de Jesus. Talvez não deva surpreender, portanto, que uma obra tão transcendente como "Ó Radiante Aurora", uma composição cujo tema gira em torno da luz, tenha sido composta para uso litúrgico no dia mais curto do ano no hemisfério norte, 21 de dezembro. Talvez isso nos revele que até nos dias mais sombrios Cristo está conosco, como diz João 1.5: "A luz brilha na escuridão, e a escuridão nunca conseguiu apagá-la". Compondo esplêndidas harmonias cuja produção exige grande concentração e esforço, MacMillan usa sua música para evocar a *percepção* da encarnação por intermédio do próprio corpo humano, deixando que seus intérpretes *sintam* o significado da encarnação de Cristo mais até do que simplesmente recebendo-a como um conceito teológico. MacMillan mostra como a música fala a linguagem sacramental do eterno por meio de nossos corpos finitos, a transcendência de esplêndidas melodias e entretecidas harmonias produzidas por pulmões limitados pelo fôlego curto e a restrição de músculos cansados.

O vertiginoso infinito

Então, Gregório de Nissa estava certo: Fomos talhados para criar música, nosso corpo foi complexamente projetado para produzir cânticos de louvor. No entanto, em vez de simplesmente exaltar a utilidade da construção de nosso ser, talvez seja nas próprias limitações de nossa constituição física que a música revela a beleza da infinita realidade de Deus: na necessidade da constante respiração, sempre inalando e exalando sem parar, no desafio de manter a afinação e o ritmo, na fragilidade da voz, tão facilmente sujeita a danos ou enfermidades. É um presente que nos é dado precisamente por intermédio das limitações do corpo. Como diz 2Coríntios 4.7 sobre Cristo em nós, "somos como vasos frágeis de barro que contêm esse grande tesouro. Assim, fica evidente que esse grande poder vem de Deus, e não de nós". Deus se serve dos vasos de barro de nosso limitado ser para expressar a natureza ilimitada da bondade que nos aguarda além do véu desta vida terrena. De certo modo, paradoxalmente, quanto mais nossas limitações aparecem, tanto mais o poder de Deus se expressa.

Em sua canção "Saturn", o vocalista do trio Sleeping At Last, Ryan O'Neal, evoca uma conversa com um amigo moribundo, que até mesmo quando ele enfrenta o véu final quer refletir sobre a persistência da beleza e da luz:

> você me ensinou a coragem das estrelas antes de partir.
> como a luz persiste eternamente, até mesmo após a morte.
> com respiração ofegante, você proclamou o infinito.
> como é belo e extraordinário simplesmente existir.[15]

O'Neal descreve a dificuldade de compreender plenamente a abrangência das palavras do amigo, ansiando por assimilar o que está além de nosso alcance:

> eu não pude evitar lhe pedir
> pra repetir tudo de novo
> tentei transcrever suas palavras
> mas não achei uma caneta

Na segunda estrofe, O'Neal repete para si mesmo o que ele já havia observado em seu amigo, transformando o significado das palavras:

com respiração ofegante, vou explicar o infinito —
como é belo e extraordinário o fato de existirmos.

Em seguida... os versos terminam. Bem no meio da segunda estrofe, toda a efervescente cena de modo abrupto e inesperado tem seu fim. Em certo sentido, os ouvintes poderiam pensar que estão tendo uma experiência da brusquidão de nosso fim, de como abruptamente pode apagar-se a chama da existência.

No entanto, há mais coisas nesse quadro. O que antecede e segue as composições cantadas de O'Neal são longos trechos de maravilhosas paisagens de música instrumental evocando imagens do esplendor cósmico e da beleza celeste. De certo modo, as limitações da expressão humana de O'Neal são, por intermédio da música, elevadas para a transcendência de um esplendor infinito. A canção de O'Neal mostra como a música nos torna evidente, por meio das limitações da experiência humana para trazer isso à tona, aquilo que Jesus diz sobre nós por intermédio de Paulo: "Minha graça é tudo de que você precisa. Meu poder opera melhor na fraqueza" (1Co 12.9). Como diz o apóstolo no mesmo capítulo, "fico feliz de me orgulhar de minhas fraquezas, para que o poder de Cristo opere por meu intermédio. [...] Pois, quando sou fraco, então é que sou forte" (2Co 12.9-10).

Nossa fragilidade e nossas limitações humanas são o lugar onde Cristo, por nosso intermédio, faz coisas boas, não porque nós somos fortes, mas porque ele é. A música nos proporciona um jeito de entrar imaginativamente nessa realidade, de experimentar a beleza que pode resultar da disposição de pôr nosso corpo limitado a serviço da expressão. Na música, nós nos comunicamos com o vocabulário de uma participação sacramental da vida de Deus no próprio mundo, e quando atingimos os limites da capacidade de expressar o que conseguimos entender, a música fala as palavras que ultrapassam nosso entendimento.

Uma improvisação ao vivo

O brilhante pianista de *jazz* Bill Evans era conhecido como um mestre da improvisação. Desde os sons de seu solo de teclado, extraindo alentadas melodias e arpejos do nada, até sua genial capacidade de apanhar com facilidade ideias melódicas de seus colaboradores e desenvolvê-las em tempo real, a música de Evans cantava com o brilho do inesperado.

Uma de suas mais famosas obras tem o título de "Peace Piece" [Peça Paz]. Gravada em 1958, num único ato bem no fim de uma longa sessão de gravação, essa obra é composta pela repetição dos dois mesmos acordes no mesmo *ostinato*, ou tema breve, que persiste repetindo-se até o fim. A base musical desse *ostinato* é tranquila e suave, quase pastoral. Sobre ela, Evans improvisa o que começa como uma linha leve, aberta, suspensa com a mão direita. No início, a melodia espontânea é brilhante e relaxada, em boa sintonia com o ritmo repetido embaixo dela. Depois, aos poucos, ela começa a transformar-se. Primeiro, cresce momentaneamente mais animada, depois recua, como se não fosse capaz de emergir por inteiro. Essa dança de idas e vindas continua por certo tempo até que, quase imperceptivelmente, Evans introduz uma ligeira dissonância, como um esguicho de água que se torna uma onda, que depois desaparece. O ritmo da mão direita começa aos poucos a perder a cadência da lenta, metódica repetição da mão esquerda, crescendo mais insistente e frenético, ainda emergindo e retrocedendo. Por fim, a dissonância assume vida própria, e quase parece que se ouvem duas conversas muito diferentes. Por um tempo, é como se esse estranho choque de tranquilidade e desânimo fosse continuar de modo indefinido, até que de súbito, habilmente, sem que o ouvinte perceba o movimento, as linhas são novamente tecidas numa consonância. Com suavidade, a peça desce para o seu acorde final, aberto, mais uma vez em sonora unidade.

Por meio de sua ponderada, paciente improvisação, Evans leva o ouvinte para um encontro afetivo com as complicações da paz — da descoberta dela, de permanência nela, do reconhecimento da dissonância da vida em torno dela, e ainda assim no final das contas continuando sua imponente, elegante obra até que a dissonância é mais uma vez trazida para a harmonia. A natureza improvisada da peça, gravada apenas uma vez e sem nenhuma parte adicional, é extraída não de uma analogia musical pré-determinada da paz, mas da interpretação que Evans faz dela por meio de sua própria carreira na música. Talvez não deva surpreender que "Peace Piece" acabasse se tornando uma de suas obras mais populares. E, no entanto, Evans quase nunca voltou a executar essa peça de novo depois daquela gravação inicial. Até parece que Evans quis nos dizer isto: o que nos foi comunicado por meio daquele estranho, transcendente momento não pode nunca ser replicado. Aquela improvisação, por sua própria natureza, de boa vontade se abre à expressão de luminosidade por intermédio do receptor, de uma forma que nos permite ter a experiência de algo além de nossa capacidade de controlar.

A música como improvisação de algum modo resume toda a nossa conversa sobre música. A improvisação penetra nos próprios vãos do espaço entre o céu e a terra, entre as restrições de nossa limitação e a infinitude dinâmica da obra de Deus neste nosso mundo e por meio dele. Não nega a nossa experiência do mundo finito, mas permanece aberta à invasão da vida divina em nosso toque e, por meio dela, em nossa música. A improvisação se torna uma forma intensa de imaginar como nossa vida finita e a vida divina são entretecidas pela ação do Espírito Santo, como quando estamos abertos àquele impulso, não presos em nossas limitações, mas abertos àquilo que Deus poderia fazer conosco e em nós e por meio de nós, nós nos maravilhamos diante da beleza que pode resultar.

A luz além da música

A música é, assim, um jeito de participar da realidade divina do Pai em quem todas as coisas têm sua origem; de corresponder com aquele que estabeleceu uma ponte sobre o espaço entre o céu e a terra para nosso proveito, Cristo; e, por intermédio da vivificante, improvisadora ação do Espírito Santo, de alentar nossa abertura para aquela realidade divina em nosso limitado eu e por meio dele. A música nos ajuda a experimentar, de uma forma real e afetiva, como o mundo em que vivemos agora está sempre imbuído de uma transbordante plenitude da bondade de Deus que nos convida a ir mais alto e mais fundo naquela bondade.

Enquanto a música diz respeito a ouvir e falar por intermédio de um mundo sacramental, o próximo capítulo explora outra forma de comunicação, uma forma não auditiva mas antes visual. A imagem é uma maneira de captar os raios de uma luz celestial refratada através do mundo visto ao nosso redor e de receber uma imagem de nós mesmos do ponto de vista do olhar divino que nos observa por intermédio da forma e expressão da beleza visual.

Exercícios sensoriais

- Reflita sobre uma lembrança pessoal envolvendo a música. Você estava ouvindo? Tocando? Estava a sós? Com amigos ou com a família? O que torna essa lembrança tão reverberante para você? Que pensamentos e sentimentos lhe traz a lembrança dessa música? Compartilhe esses pensamentos e sentimentos com Deus num momento de oração.
- Escolha uma peça musical digna de sua atenção plena. Talvez "Peace Piece" de Bill Evans, ou "Saturn" de Sleeping At Last, ou o *Quarteto para o fim do tempo* de Olivier Messiaen, ou alguma outra composição musical significativa para você. Observe as coisas que o distraem durante esse exercício — pensamentos, preocupações, ruídos ambientais, o telefone. Peça a Deus que o ajude a pôr de lado essas distrações. Depois de terminada a audição, tome um pouco de seu tempo para registrar num diário seus pensamentos e sentimentos.

5

LUZ DIVINA ATRAVÉS DE ESPELHO TERRENO

Receber a iluminação de Deus na arte e no talento artístico

Todas as coisas são percebidas à luz da caridade,
e portanto sob o aspecto da beleza: pois a beleza
é simplesmente a realidade vista com os olhos do amor.

Evelyn Underhill

Numa igreja da Escócia onde muitas vezes cantei como membro do coro, há um vitral numa das paredes laterais, perto do altar. Ele só pode ser visto quando se entra no presbitério, a área onde fica o coro, de modo que só é revelado àqueles que optam por apresentar-se para receber a comunhão. Todavia, pelo fato de a igreja ser anglicana, os assentos no coro de ambos os lados da nave não estão voltados para a frente na direção do altar; em vez disso, estão dispostos uns de frente aos outros. O vitral está exatamente acima dos assentos ao norte do coro, e sendo assim, alguém ocupando um dos assentos ao sul pode apreciá-lo detalhadamente. Nesses assentos muitas vezes me encontrei, integrando o coro como baixo.

O vitral é bastante peculiar e está relacionado com a história da igreja na qual está colocado. Representa o momento em que Cristo convida Pedro e André a abandonarem suas redes e segui-lo. O vitral combina bem com uma igreja que foi originalmente erigida no fim do século 19 para servir à comunidade mais pobre da cidade, os pescadores e suas famílias, que produziam a maior parte da economia local, mas que não podiam comprar um banco para a família na paróquia mais abastada no outro lado da cidade. O vitral homenageia nominalmente o bispo que ajudou a construir a igreja, um sacerdote que de fato se tornou não apenas pescador de homens, mas também pescador de pescadores.

Para mim, aquele vitral se tornou um modo de refletir sobre o significado e valor da igreja não apenas como um místico, universal corpo de crentes espalhados no tempo e espaço, mas também como um conjunto de arraigadas comunidades locais fielmente seguindo o chamado do evangelho em seu próprio momento cultural. Fitando o vitral durante serviços religiosos nas manhãs de domingo, vendo como a intensa luz do sol brilha através dele, muitas vezes me senti repleto da consciência da luz de Cristo cintilando na vida fiel dos que me cercavam, uma consciência que aprofunda meu desejo de participar na companhia e comunhão com eles.

De quando em quando, também participei naquela paróquia da celebração mensal das vésperas, um serviço religioso anglicano realizado ao anoitecer. A primeira vez que lá cantei numa celebração das vésperas, eu me lembro de ter-me surpreendido quando olhei para o conhecido vitral no alto; diferentemente dos serviços religiosos das manhãs de domingo, quando os perfis e matizes do vitral dos pescadores de homens sempre haviam sido claramente definidos pela luminosidade do sol, nas ofuscadas sombras do anoitecer, a cena havia se tornado completamente incompreensível, nada mais que uma placa de vidro. Sem a iluminação do exterior, o *telos* do vitral, seu objetivo derradeiro, havia sido removido. Enquanto refletia sobre isso, ocorreu-me que o valor inerente do vitral, inscrito em seu próprio desenho, encontra-se apenas em algo exterior, algo além do trabalho artístico da imagem em si. As cores e contornos requintados que compõem a singular imagem não se manifestam em virtude de sua própria operação, mas, em vez disso, ganham vida graças à luz em si.

Minha experiência com o vitral daquela pequena paróquia anglicana na Escócia me proporcionou uma visão de como as imagens produzem seus efeitos sobre nós. Em se tratando de imagens visuais — sejam elas obras de arte, vitrais ou até mesmo obras arquitetônicas — o que confere significado e valor a uma determinada expressão não reside unicamente nela mesma, mas reside antes *naquilo de que ela participa*. Um prédio construído a partir de ponderados cálculos pode orientar nosso olhar de acordo com a proporção que ele apresenta em relação ao seu contexto; uma pintura chama nossa atenção para dentro do espaço narrativo de seu objeto em foco, permitindo-nos ir além da tela em si e entrar na própria cena, como se ela fosse, de certo modo, momentaneamente real; uma escultura poderia destacar a natural luz e sombra de um determinado espaço de modo a revelar mais facilmente os contornos e fissuras de seu desenho. De modo semelhante, para aqueles que expressam a vida encarnada de Cristo por meio de seu próprio trabalho criativo, essa participação acaba sendo transferida para um nível espiritual, no qual o significado do trabalho é manifestado pelo Deus cuja luz brilha através dele, e o brilho dele impregna o mundo inteiro.

Esse entendimento da arte visual encontra suas raízes nas primeiras práticas do culto cristão e foi energicamente defendido pelos cristãos como um elemento-chave por meio do qual podemos conhecer Deus e acreditar em Cristo, no qual misteriosamente se fundem as duas naturezas: a divina e a humana.

O papel das imagens na fé

No ano 787 d.C., líderes da igreja de todas as partes do mundo então conhecido reuniram-se em Niceia, perto do que hoje conhecemos como Istambul, na Turquia, para discutir o problema das imagens no culto cristão. Desde a legalização do cristianismo no Império Romano no século 4 sob o imperador Constantino, as imagens sagradas haviam sido usadas em reuniões de oração e culto em toda a igreja; e, apesar disso, praticamente com a mesma rapidez com que emergiu o uso geral das imagens sacras, surgiu uma contracorrente para combatê-lo: a *iconoclastia*. O modo de atuar dos iconoclastas consistia num ato chocante e destrutivo: a destruição das imagens sacras. De vitrais a mosaicos de pedra, de tecidos litúrgicos à madeira pintada dos próprios ícones, os iconoclastas destruíam qualquer representação artística em locais de adoração ou de ensino espiritual cristão e eram particularmente ardorosos na destruição de imagens que exibissem qualquer aspecto de Cristo ou de sua vida terrena: sua mãe Maria ou seus discípulos, cenas de seu ministério, sua crucificação, morte ou ressurreição. No século anterior ao Segundo Concílio de Niceia, como seria depois denominada a reunião de 787, a iconoclastia se intensificara, e muitos cristãos que veneravam imagens sacras foram perseguidos, e alguns até obrigados a fugir para os pontos mais longínquos do Império Bizantino no afã de evitar a condenação à morte. Até mesmo o próprio concílio lutou para manter a ordem enquanto se debatia o uso de imagens no culto religioso; foi adiado por um ano porque militantes iconoclastas dispersaram a reunião, e isso obrigou o governo bizantino a intervir para possibilitar a continuação do concílio. Quando os participantes finalmente chegaram a um acordo, a rápida conclusão deixou claro que a iconoclastia não só estava equivocada, como também era uma radical mudança de uma antiga tradição de representação artística no culto da igreja, remontando a seus primórdios:

> Declaramos defender, sem qualquer inovação, todas as tradições eclesiásticas escritas e não escritas que a nós foram confiadas. Umas delas é a produção da arte representacional; ela está em perfeita harmonia com a história da divulgação do evangelho, porque nos fornece uma confirmação de que a transformação da Palavra de Deus em ser humano foi real e não apenas imaginária, e porque ela nos fornece benefício similar.[1]

Em sua essência, esse argumento sugere que o próprio Cristo é uma *imagem*; como já aprendemos em Colossenses 1.15: "O Filho é a imagem do Deus invisível". Nessa expressão poética de Paulo pode-se ver uma vigorosa defesa do uso das imagens. O Cristo em si, aquele que a própria humanidade observou durante a vida dele na terra, uma inegável realidade de carne e osso, foi, mesmo naquela forma encarnada e limitada, o *retrato* do Deus *invisível*. O eterno e inefável Deus do universo tornou-se visível para nós por intermédio do próprio Jesus; em sua revelação humana, as duas naturezas nos são reveladas. Essa expressão não só está em contraste com as acusações dos iconoclastas; ela de fato devolve a acusação virando-a contra eles. Negar que Cristo, ou pessoas e narrativas do sagrado texto da Escritura, possam ser representados numa imagem é negar que o próprio Cristo era o revelado Filho de Deus em forma humana. É, em suma, negar sua humanidade, uma heresia tão profunda que cada um dos seis concílios anteriores da igreja havia de algum modo discutido. Ora, nesse momento crucial, a representação de Cristo por meio de imagens, e representações de diversas naturezas, foram aprovadas não apenas como uma boa mas também insubstituível defesa da dupla natureza de Cristo, o mistério que está no próprio âmago da fé cristã, em defesa do qual o primeiro concílio de Niceia, quatro séculos antes, havia tão renhidamente batalhado. Resumindo, o próprio Jesus é uma imagem de Deus, e, por meio de Jesus, nos é dado um modelo do modo pelo qual as imagens podem nos proporcionar uma visão do invisível, o reino além do nosso que os olhos humanos não podem contemplar diretamente. Embora a contemplação de uma imagem intensifique o louvor, isso não acontece em virtude da imagem em si, o que seria idolatria, mas antes em virtude do que está além dela e emana através da imagem e a transcende:

> Certamente essa [veneração] não é a adoração plena em sintonia com nossa fé, adoração que só é devidamente prestada à natureza divina. [...] De fato, *a honra prestada a uma imagem a atravessa, atingindo o modelo*, e quem venera a imagem, venera a pessoa representada nessa imagem.[2]

A imagem em si, que é criada em referência a seu sujeito, não contém a plenitude do que ela representa, mas antes leva seu espectador através daquela impressão rumo à verdadeira pessoa por trás dela e rumo a tudo o que essa pessoa representa.

Uma das primeiras e mais impressionantes representações de Jesus dá expressão a esse entendimento da imagem. O Cristo Pantocrator ou, ao pé da letra, o "Cristo Todo-poderoso", é uma estilização iconográfica de Jesus que representa sua natureza como bom pastor que está perto da humanidade e, ao mesmo tempo, sua eterna realeza, por meio da qual julgará o mundo no fim dos tempos. Tendo esse objetivo, o Pantocrator subdivide a imagem de Cristo representando diferentes atributos de sua pessoa no seu lado direito e no esquerdo. O mais antigo e mais famoso Pantocrator, o Pantocrator do Mosteiro de Santa Catarina, no Sinai, no Egito, sobrevive como uma das melhores interações dessa imagem de dupla natureza. A metade do Cristo do lado direito, representando sua natureza como Deus amoroso que se preocupa, está representada com traços faciais suaves e olhos bondosos. Sua mão se ergue numa bênção com dois dedos, com a qual ele santifica seu povo para si mesmo. Em completo contraste com isso vemos a metade do lado esquerdo, que representa um rosto musculoso com a sobrancelha caída, pairando sobre um olho bem aberto que fita ferozmente o espectador. Na mão esquerda da imagem, Cristo segura o evangelho, o livro eterno da justiça de Deus. Esse é o Cristo que vem para realizar o julgamento na terra, aquele que não veio para abolir a lei, mas para cumpri-la em si mesmo.

Se o espectador considerasse um dos dois lados isoladamente, ele teria uma representação parcial, limitadamente didática de uma das naturezas de Cristo. Visualizando-os simultaneamente, porém, o espectador se vê forçado a considerar ao mesmo tempo tanto a suave gentileza de um bom salvador quanto o Rei do céu diante do qual todos tremem. O Pantocrator visa algo mais do que meramente expressar uma simples e racionalizada verdade acerca de Jesus; visa antes ajudar o espectador a perceber as inexplicáveis, entretecidas naturezas divina e humana de Jesus encontrando-se no próprio Jesus. De fato, contemplar o Pantocrator significa ser forçado a ir além da compreensão fácil e a confrontar-se com a pessoa de Cristo, em quem, ultrapassando qualquer entendimento humano, a divindade e a humanidade se juntam num único indivíduo. Como no vitral dos pescadores na igreja da Escócia, a essência da imagem brilha com a iluminação daquele que infinitamente resume a finita capacidade teológica da imagem; e nossa contemplação não se concentra nos princípios teológicos expressos na imagem, mas sim naquele que está por trás da imagem, que encarna aquela expressão, o *logos* divino, a Palavra que se encarnou. A imagem nos obriga a ver, através de seus aspectos visualizados, a pessoa real, encarnada, por trás dela.

E como o *conteúdo* de uma imagem pode dirigir o nosso olhar para além de si mesmo, rumo ao sujeito vivo dessa imagem, assim também a cor, a textura e o estilo podem nos levar a uma participação mais profunda naquilo que se encontra através — e além — da imagem.

Cor, tempo e memória

Desde o advento da fotografia no início do século 19, uma das grandes ambições era conquistar a total colorização de imagens capturadas. Embora a fotografia em cores tenha sido conquistada cinquenta anos depois da produção das primeiras fotos, a ampla divulgação do uso de cores em fotografias de amadores só seria estabelecida um século mais tarde. Em geral, a vasta coleção de fotografias que temos daquele primeiro século e meio apresenta uma variedade de simples matizes, geralmente uma variante da monocromia (um único tom de cinza), gradações de cinza (branco e preto) ou sépia (uma alteração das gradações de cinza). A consequência disso pode afetar cada um de nós de modo diferente, dependendo de termos ou não nascido num tempo anterior à fotografia em cores. Mas talvez a maioria de nós tenha a sensação de que *aquele tipo* de fotografia *está muito distante* de nossa experiência atual. A ausência de cores tende a nos garantir que aquelas imagens são *antigas*, são do passado, de um tempo não mais acessível para as impressionantes cores e detalhes de nosso mundo impregnado de imagens. A ausência de cores nos distancia dos sujeitos das imagens, de tal modo que achamos difícil pensar em nós mesmos no tempo e espaço daquele momento. Existe um muro não mencionado, construído pela matéria de nossas próprias memórias, que diz em termos bem claros que aquelas cenas não pertencem ao mundo tal qual o conhecemos, ao nosso acúmulo de experiência. Elas estão do outro lado de um abismo temporal intransponível.

Uma nova revolução digital na fotografia está virando a maré dessa barreira insuperável. A colorização digital nos fornece os meios tanto para corrigir falhas em imagens como para enriquecê-las com intensos, vibrantes matizes que conferem aos cenários representados detalhes nunca antes percebidos. O resultado disso é muitas vezes chocante: a vaga dupla dimensão da foto fica imbuída de súbita profundidade e nuances, destacando a presença de detalhes despercebidos que nos prendem a atenção. As árvores de repente parecem ganhar movimento, como se dançassem alegremente ao sabor do vento; um sorriso nos apanha desprevenidos e nos envolve na risada à espera nas margens dele; os olhos não mais granulados e sem cor de repente nos fitam com intensa expectativa, e não podemos evitar sentir que de algum modo aqueles olhos contêm, escondido por trás deles, um coração humano real, com uma profundidade de significado e importância que antes estavam obscurecidas para a visão. O passado dessas fotos de uma época anterior à nossa torna-se imediatamente real diante de nós, e até imagens de culturas e lugares perdidos para os anais da história deixam-se ficar em nossa mente como se tivéssemos de repente tropeçado numa realidade oculta dentro de nosso próprio mundo. A barreira do tempo é derrubada com um estrondo, e o passado das imagens flui invadindo nosso presente como a água de uma barragem rompida.

É com essa potência que a cor altera nossa percepção do mundo em que vivemos. A vivacidade dos matizes confere energia às curvas e aos ângulos de nosso mundo, de modo que recebemos neles mais do que eles mesmos podem comunicar. Todos nós conhecemos essa sensação intrinsecamente na mudança das estações: quando os parcos matizes dos galhos estéreis do inverno de repente irrompem com a vida brotando da primavera, a garantia daquela nova vida, da volta do calor e a alegria e a luz do sol, tudo isso é apanhado na vermelhidão e no cor-de-rosa de botões de cerejeiras, ou na expansão esmeralda de copas sobre nossa cabeça. A cor diz mais do que vemos à nossa própria percepção da realidade em si, intensificando seus ângulos, redirecionando nossa sensação da passagem do tempo e invocando nossa memória, para nos levar mais longe no mundo em eterno movimento.

O sol oculto

A cor depende especialmente de sua relação com a luz para guiar nosso foco a um determinado ponto. Como o sol acima de nós num dia claro, tudo o que enxergamos reflete o ponto focal de nossa própria estrela brilhante, e a visão do mundo em si sempre aponta por sua vez para aquela fonte. Tudo o que sabemos sobre cor em nossa absorção do mundo — ou, nesse caso, sobre profundidade, contraste, ângulo, proporção ou qualquer outro aspecto dela — depende dessa luz.

O quadro mais famoso do pintor do fim do século 19 Eugène Burnand intitula-se *Os discípulos Pedro e João correndo para o sepulcro na manhã da ressurreição.*[3] Nele, apresenta-se ao espectador a visão dos dois discípulos — um, jovem, sem barba e vestido de branco com um anseio apaixonado em seu aspecto; e o outro, velho, grisalho, com cabelos e barba em desalinho, vestido em cores escuras, com um olhar de atônita esperança inscrito nas rugas de preocupação de seu rosto exausto. Seus corpos estão fortemente inclinados para o lado esquerdo do quadro, como que num movimento frenético. Atrás deles, uma paisagem aberta revela um cenário prestes a amanhecer, com uma profusão de nuvens de uma cor entre escarlate e violeta pairando no fundo. A cor e proporção da imagem são surpreendentes, prestando-se a uma sensação de urgência e expectativa. E, no entanto, há um aspecto adicional, cuja fonte situa-se fora da moldura da imagem, que proporciona ao espectador o entendimento de que essa expectativa não será frustrada. Pois na principal margem das nuvens violeta atrás deles, uma intensa cor laranja e ouro vem queimando na direção dos discípulos em sua desabalada corrida. E nos olhos deles, um intenso, refletivo ardor do que está logo depois da margem esquerda da tela catalisa a antecipação que o movimento do corpo deles torna explícita. É no uso da luz, e particularmente na colocação da fonte dessa luz fora da tela que a narrativa confere energia ao quadro, evocando tanto a literal quanto a metafórica aurora que os discípulos buscam. Pois a oculta luz do sol funciona não apenas como uma resposta à promessa escrita nas cores iluminadas da imagem, mas também como a intensificação do desejo por aquilo que os próprios discípulos buscam e no entanto ainda permanece fora da tela, o Cristo ressuscitado. A utilização da luz no quadro de Burnand funciona como um catalisador que invoca em nosso coração a mesma esperança implantada nos dois discípulos, o anseio para que a ressurreição de Cristo, o sol da justiça, exploda radiante e verdadeiro sobre as sombrias paisagens de nossa vida.

Essa sensação de como a luz interage com a cor para elevar nossa consciência espiritual em relação àquilo que recebemos por intermédio da visão tem uma história longa e registrada, e uma das mais vigorosas expressões disso está na tradição medieval de iluminar manuscritos.

Manuscritos iluminados são iterações das palavras da Escritura que ganham vida intensa graças a vibrantes padrões, cores, texturas e representações circundando palavras. A melhor maneira de imaginar um manuscrito iluminado para quem nunca viu um poderia ser pensar nele como um vitral sobre um pergaminho. Como um vitral, ele revela histórias da Bíblia em vívida expressão visual. Os monges artesãos criadores de trabalhos magníficos não economizavam recursos em seu artesanato: usavam pigmentos e tintas dos materiais mais raros, do azul do lápis-lazúli da Pérsia ao tom vermelho preparado com carcaças de um inseto do mar Mediterrâneo; da preciosa prata à extremamente rara lâmina de ouro. Os artesãos desses manuscritos iluminados colecionavam e aplicavam com perícia elementos tão extravagantes visando um objetivo único: embelezar e santificar as gloriosas palavras da sagrada Escritura.

Muitos dos trabalhos mais atrativos de iluminura foram concluídos em épocas fortemente tumultuadas. O Livro de

Kells, talvez o mais famoso e mais celebrado manuscrito iluminado que sobreviveu até nossos dias, foi concluído numa época de múltiplas invasões de *vikings*, em meio a mortes e destruição de monastérios saqueados, com monges fugindo para as montanhas. O estranho contraste entre a diligência do refinado artesanato que produziu obras tão brilhantes e belas e a iminente ameaça existencial de guerras e violência que submetiam aquelas comunidades às duras circunstâncias da mera sobrevivência é de fato enorme. O que poderia fazer esses monges persistir numa aparentemente exagerada busca em tempos tão prementes e desafiadores?

À semelhança da discussão no segundo capítulo sobre o drama da Escritura, para essas ordens monásticas ler o evangelho não significava simplesmente receber informações, mas sim interagir com uma história viva. O texto na página era mais do que um mero conjunto de palavras; era a luz da verdade divina difundindo seu brilho na vida de todos os que o lessem. Numa época anterior à impressão em massa, quando cada texto tinha de ser produzido manualmente, o valor de um único manuscrito ia muito além do que poderíamos supor em nossa época de proliferação literária. E esses monges sabiam que, diferentemente de qualquer outro livro no mundo, as palavras estimulantes dos profetas e apóstolos, a vivificante poesia dos salmos e a prosa dos evangelhos, cada versículo da Escritura, tudo era a inspirada palavra de Deus, e assim era um testemunho da palavra verdadeira, o Logos vivo, Cristo, cuja presença brilhava através dela. Qualquer livro era uma raridade naquela época; mas as palavras da Escritura não tinham preço. Lançar mão de qualquer coisa que não fossem os mais expressivos e esplêndidos moldes e matizes seria obscurecer a luz interior impregnada nas próprias palavras.

Assim como as palavras da Bíblia dela fluem invadindo o drama de nossa vida, também nós exibimos o espírito da luz que emana dos manuscritos iluminados. Pois nós também fomos criados para iluminar. Como imagens que revelam a boa qualidade de suas cores, textura e movimento através da luz que as invade, nós fomos criados para sermos portadores de uma luz divina, que de modo semelhante nos anima.

Portadores de luz

Numa outra parte do santuário em minha igreja em St. Andrews, escondida num canto de um teto alto, outra janela apresenta um inesperado (e talvez não planejado) relacionamento com a luz que interage com aqueles que embaixo dela se reúnem para o culto. Devido à sua colocação, e por exibir vidro claro normal em vez de um vitral como acontece nas outras partes do interior daquela igreja, durante os serviços normais num dia claro a luz do sol penetra e inunda a abside lá embaixo, onde os congregados sentam-se em seus bancos. Muitas vezes, durante uma homilia ou enquanto estou de joelhos durante as orações dos congregados, olho de relance para a congregação reunida e vejo uma estranha visão de outro mundo: um único raio de luz, derramado no meio da congregação, sua trajetória sendo articulada pela névoa em redemoinhos de incenso, incide sobre um indivíduo privilegiado. Muitas vezes, os congregados fecham os olhos contra o ofuscante brilho, o que só faz intensificar a sensação de uma calma estranha, celestial, o súbito acontecimento de um brilho eterno pressionando para sair pelas costuras do mundo em nosso momento de adoração. Alguns momentos depois, o raio de luz terá escolhido outra pessoa, e depois outra, movendo-se com graciosa elegância ao longo de fileiras de fiéis reunidos, como se pretendesse revelar a intimidade oculta de cada um, a verdadeira glória presente neles, tão frequentemente obscurecida por trás das preocupações de cada dia, mas agora posta em primeiro plano durante a adoração. Como se fossem momentaneamente transportados para o monte da transfiguração, eles ardem brilhando com a luz de Cristo dentro deles, e eu me sinto pequeno e assombrado, transfixado pelo olhar de um amor divino. E sou levado a me lembrar de que até com minha imperfeição, até com minha incerteza e apreensão, eu também carrego em mim aquele fogo, e o olhar amoroso, que percebo nas imagens transfiguradas de irmãos e irmãs em Cristo, também incide sobre mim, aguardando para fazer meu coração arder.

Como um vitral que refrata a luz do sol no mundo interior do santuário de uma igreja, ou como imagens sacras que canalizam o olhar do espectador para a pessoa que é a plenitude do que a imagem contém, assim também cada ser humano carrega a estampa de uma imagem, uma imagem que, em Cristo, poderia inflamar-se com luz celestial. Nós que conhecemos e seguimos Jesus somos *imagens iluminadas*, feitas para refletir a luz divina de Jesus para um mundo carente, agindo como retratos sagrados do amor de Deus que pode redirecionar olhares ardentes para a realização de seus desejos nele.

E nós estamos aptos a ser essas expressões de graça não só por causa de nosso testemunho da luz, mas também porque *somos vistos pela luz*. Como imagens portadoras de Cristo, recebemos o amor do Pai que nos adotou como filhos e filhas. O júbilo que contemplamos no aspecto dos olhos dele é o amor que ele tem por nós e a alegria dele pela manifestação da vida de sua luz através de seu Filho em nós.

Contemplar verdadeiramente a natureza sagrada imbuída na imagem, captar a luz divina dentro dela, não é meramente *ver*, é também *ser visto*. A alegria transcendente do mundo visual que recebemos cada dia não está verdadeiramente naquilo que fazemos para contemplar; está naquilo que Deus faz para transformar-nos em portadores de luz. Quando, como cristãos, enxergamos, quando compreendemos, fazemos isso a partir da base da dádiva que a própria essência de Deus nos dá em Cristo e por meio dele. Essa dádiva é a imagem colocada dentro de nosso próprio eu desde o início, e é a restauração da iluminação daquela imagem, mais uma vez por meio da dádiva do próprio Deus, para que nós, entre tantos que caminham nas trevas, possamos seguir adiante, nas palavras de Filipenses 2.15-16, "brilhando como luzes resplandecentes" e apegados "firmemente à mensagem da vida".

Essa ideia de doação também está presente em outra faculdade sensorial, num dos sentidos do qual dependem inúmeros grandes benefícios e profundos malefícios. Trata-se de um sentido que faz a balança pender para uma dessas duas direções opostas, dependendo de basear-se ele ou não na economia da necessidade e carência ou na economia da doação. Estou me referindo ao sentido do tato, por intermédio do contato humano.

Exercícios sensoriais

- Que imagens você associa com a prática de sua fé? O que você imagina durante sua oração? Durante sua adoração? O que torna essas imagens tão centrais para sua vida de fé?

- Reflita sobre a noção de que você foi criado à imagem de Deus e é portador da luz de Deus para o mundo. Como essa reflexão afeta sua percepção de si mesmo? A percepção de sua missão? Considere que as pessoas ao seu redor também foram criadas à imagem de Deus — mesmo as pessoas com quem você acha difícil conviver. Como essa verdade fundamental afeta seu relacionamento com elas?

6
TOCAR A FACE DE DEUS

Encontrar a bondade divina em ligações humanas

Se pudéssemos perceber que Cristo é o necessitado [...]
e se em cada rosto humano
tão vergonhosamente atirado em nossas sarjetas
pudéssemos ver o próprio Cristo rejeitado,
nós o apanharíamos como uma medalha de ouro
a ser amorosamente beijada.

Oscar Romero

Ainda me lembro da sensação de estar doente na infância. Desde a mais tenra idade, a doença para mim era praticamente uma experiência anual assegurada, desde leves resfriados e dor de garganta até as mais violentas inflamações estomacais. Sendo eu uma criança com pressão baixa crônica e propensa a desmaios, além de casos de um forte desequilíbrio do ouvido interno, doenças estomacais eram para mim particularmente penosas, um terror que me lançava numa crise de desorientação e medo.

Nunca me esqueço que as crises aconteciam sempre no meio da noite, num tempo fora do tempo, deslocadas da razão e da realidade, suspensas na meia-luz de lâmpadas de cabeceira acesas automaticamente por uma mãe ou um pai meio que dormindo. Num segundo plano, ainda consigo captar a abafada confusão da luz da tevê, ligada para me distrair e passar as intermináveis horas de semivigília. Às vezes era um audiolivro que fazia as vezes da tevê, e eu entrava e saía de um estado de consciência de desconexos elementos de histórias e de estranhas, desconhecidas vozes. Quando essas tentativas se mostravam ineficientes, algum tipo de calmante música instrumental inundava o espaço ao meu redor. E em seguida, por fim, depois de exauridas todas essas tentativas, eu me via entregue ao insuportável vazio do sono buscado em vão.

Lembro-me especialmente da sensação da doença em minha pele: o importuno calor úmido do quarto envolvendo-me e irritando a superfície dos braços, ao mesmo tempo frios e úmidos, e ainda assim queimando e doendo com fortes comichões; a tênue camada de suor acumulando-se na testa, envolvendo mechas de meus cabelos e ali grudando-as ensopadas na minha testa; a sensação de que cada contato com um lençol ou uma almofada poderia causar uma nova convulsão, de que os próprios limites que articulavam o espaço entre meu ser interior e exterior se agitavam e retorciam em turbulência. Por mais que rolasse e me agitasse na cama, nada conseguia proporcionar a calma que o corpo ardentemente desejava, e eu, acordado, me virava e revirava cem vezes numa noite.

E, no entanto, com a mesma facilidade com que consigo me lembrar do limbo daquela dor e desconforto, tenho a consciência de outra sensação, uma sensação de conforto que para mim continua clara mesmo depois de muitos anos: a suave, reconfortante mão de minha mãe. Seus dedos frios pousavam em minhas costas e ombros ardentes, e ela me acariciava lenta e metodicamente, muitas vezes cantarolando uma suave melodia ao fazer isso. Sua mão se movia tranquila e agradavelmente atingia cada centímetro de minhas costas, acalmando as turbulentas ondas que perturbavam a superfície de minha pele, deixando atrás de si uma coberta de amena quietude.

Depois, como que arando o solo de minha doença, ela segurava delicadamente meu braço infantil entre seu dedo polegar e o indicador e massageava-me os músculos doloridos, livrando-me dos empecilhos e perigos de meu mal até que cada braço estivesse mais uma vez em sintonia com a paz e a calma. Depois disso tudo, quando o sossego que fora banido começava de novo a fluir sobre mim, eu sentia os dedos de minha mãe delicadamente acariciando-me a testa, enxugando o úmido calor da enfermidade e fazendo que a certeza do sono me envolvesse novamente. Minhas últimas lembranças antes de deslizar para a inconsciência eram as de sua mão, pousada numa bênção sobre minha cabeça como uma rocha rechaçando a maré de medo e angústia, estampando sobre mim um selo de paz. Nessa última bênção de seu toque, eu mergulhava na quietude do sono.

Existe algo imediato, algo surpreendente no efeito do toque. Como os outros sentidos, o tato nos relaciona com o mundo ao nosso redor, nos conscientiza das linhas que limitam o espaço da vida. E, no entanto, mais que isso, ele às vezes faz o que nenhum dos outros sentidos consegue fazer: pôr-nos em contato direto *uns com os outros*. O toque é o vínculo sagrado que confirma, mais do que qualquer expressão verbal ou ação percebida, que estamos sendo levados em consideração pelo outro. No toque, a participação no outro é imediata; sua expressão é dada e recebida sem palavras numa imediação simbiótica que infunde nas pessoas concernidas um instantâneo *conhecimento do outro*, e *nesse conhecimento* elas são igualmente *conhecidas*. Esse gesto nos proporciona uma transformadora experiência de outras pessoas que é impossível pela simples observação delas à distância. E, no entanto, ele igualmente revela tanto de nós mesmos como revela a pessoa que percebemos por meio do contato humano. Não resta dúvida de que esse processo pode ser assustador, e é razoável que seja assim. O toque é intensamente poderoso: pode provocar doença, ferimentos, violência e até mesmo a morte; e no entanto, no âmbito de sua competência estão igualmente a cura e o consolo, a afeição e a intimidade. Evitar o toque, nunca estabelecer um contato com outra pessoa, significa sempre permanecermos separados de todos, situados à distância, e consequentemente sempre longe de um certo tipo de conhecimento de nós mesmos. Nenhuma quantidade de ponderação dos pensamentos de outros, de enxergá-los e julgá-los à distância, pode substituir o conhecimento que provém somente do contato. No toque há uma plenitude do ego que é ao mesmo tempo dada e recebida; o ego já não pode ser retido depois de entrar em contato com outra pessoa. Ele deve ou entregar-se à total doação de qualquer gesto de contato iniciado, seja para o bem seja para o mal, ou deve retrair-se e voltar para dentro de si mesmo.

O toque é tão intensamente poderoso que, sem o contato humano, o corpo humano em si é afetado negativamente. Na década de 1940, pesquisadores começaram a reconhecer um elo entre a atenção materna e o desenvolvimento sadio na infância. Particularmente por meio das observações do psicanalista René Spitz, estudos de longo prazo revelaram que até mesmo quando crianças muito novinhas recebiam cuidados básicos da mais alta qualidade, se fossem privadas do contato acolhedor e do afeto, especialmente por parte da mãe, elas acusariam graves perdas na saúde e no desenvolvimento mental, com atrofia no crescimento e até, em alguns casos, indo a óbito. Spitz atribuiu a esse fenômeno o nome de “hospitalismo”, referindo-se aos prejuízos que muitas crianças provariam quando separadas do contato humano, apesar de receberem um atendimento médico exemplar.[1] Os resultados foram dolorosamente óbvios: o contato humano não é simplesmente um aspecto periférico de nossa existência; é antes um fator crucial, integrante de nossa saúde e bem-estar.

Todavia, uma rápida observação da cultura contemporânea mostra como o tato se tornou perigoso. Cercando-nos por todos os lados há perversões de toques igualmente chocantes, nos quais o contato humano se torna uma arma usada para prejudicar outros, de modo intencional ou não. Desde os horrores de abusos cometidos por pastores e padres até a crueldade de golpes de estrangulamento na aplicação da lei; desde as angustiantes histórias de assédios em universidades e locais de trabalho (que com demasiada frequência são desconsideradas e ignoradas) até a frequentemente oculta e no entanto não menos insidiosa violência praticada por membros da família, o mal do toque humano corrompido está por toda parte ao nosso redor. Temos tentado, com razão e justiça, encontrar jeitos de responder a essas injustiças e maldades. Instalamos comissões para investigar crimes e malogros da lei, planejamos iniciativas para ajudar a dar aos membros de uma família os meios e a coragem para denunciar os malfeitores; mal começamos a ouvir as histórias tanto de mulheres como de homens que suportaram calados a dor de maus-tratos recebidos; e estamos discutindo sobre como se manifesta o consentimento e sobre como ouvir atentamente se o consentimento foi expresso ou não. Essas coisas são boas e necessárias, e em muitos casos expressam o poder do evangelho em ação: "Ele me enviou para consolar os de coração quebrantado e para proclamar que os cativos serão soltos e os prisioneiros, libertos" (Is 61.1). Há muito trabalho a fazer, e muitos daqueles que estão dispostos a enfrentar esses tenebrosos fatos e lançar luz sobre eles estão pondo em prática vocações nobres, muitas vezes em prol dos mais humildes desses injustiçados.

E, no entanto, a mera denúncia da maldade dos abusos do tato humano em nossa sociedade não pode por si só nos restaurar para a plenitude da significativa ética do contato humano correto. Iniciamos o necessário trabalho da delação dos fatos das trevas e da exposição deles à luz. Todavia, sem um entendimento do que significa envolver-se com o contato humano de uma forma virtuosa, permaneceremos sempre navegando em águas incertas e jamais atracados no porto do esperançoso e amoroso envolvimento com outras pessoas do qual precisamos tanto. Wendell Berry expressa eloquentemente essa crise:

> A linguagem pública sabe lidar [...] com pornografia, higiene sexual, anticoncepção, assédio sexual, estupro e assim por diante. Mas não sabe falar de respeito, responsabilidade, disciplina sexual, fidelidade ou a prática do amor.[2]

Estamos diante destas duas verdades contraditórias: que o contato humano é uma profunda necessidade entretecida no bem-estar do corpo e que sem ele não podemos levar uma vida sadia; e, no entanto, ao mesmo tempo, a vastidão do potencial contato humano está repleta dos perigos mais profundos, fazendo-nos recuar temerosos. Como podemos sequer começar a pensar no tato como algo bom quando há tanta ambiguidade diante de nós?

Como sempre acontece, o segredo nos aguarda naquele que nos deu os sentidos e que, com sua própria vida, expressou o sagrado potencial do tato como *a dádiva de si mesmo*.

A dádiva do coração servo

A maioria de nós sabe que Jesus se dirigia aos que o cercavam falando em parábolas. Cada surpreendente e multifacetada história podia evocar inúmeras emoções humanas, desde a confusão até o prazer, a raiva ou até mesmo o remorso. Cada uma dessas histórias salta da página para entrar em nossa imaginação espiritual e ali permanecer como uma misteriosa forma de entender a pessoa de Jesus. E, no entanto, o que está escondido sob a superfície dos Evangelhos é a maneira pela qual muitas das histórias da própria vida de Jesus são em si mesmas parábolas vivas. Assim como muitas pessoas em volta de Jesus se sentiam confusas diante de suas estranhas alegorias referentes ao reino, nós também ficamos perplexos, pressionados, desafiados pelo modo como Jesus conduz sua vida, interage com as pessoas. Sua própria vida se torna para nós uma metaparábola, desafiando-nos a entrar nas ressonâncias que vão além da página e nos convidam à devoção.

Um dos elementos-chave repetidos na vida de Jesus é o papel exercido pelo tato nas interações dele com outros. Constantemente, Jesus entra em contato com aqueles que o cercam. Talvez o mais profundo aspecto do tato subjacente nos Evangelhos seja a frequência com que Jesus cura por meio do toque: impondo as mãos sobre os enfermos, tocando os olhos dos cegos, devolvendo a vida a uma menina morta. Sabemos graças ao testemunho dos próprios discípulos naquela história que, nas sempre presentes multidões em volta de Jesus, inúmeras pessoas aproximavam-se dele e o tocavam. Mesmo quando o próprio Jesus não ocasiona o toque, aqueles que com fé tocam a fímbria de sua túnica recebem a plenitude de seu poder de cura. Em Jesus temos a visão de alguém tão profundamente submisso a seu Pai que toda a sua vida, corpo e alma, é dada como dádiva em benefício de outras pessoas. A visceral, imediata natureza dessa doação salta da página e estende a mão e nos leva a uma conscientização disso, de modo que não podemos evitá-lo. Isso nos desafia, como deve fazer uma parábola, a entrar na história e ganhar um entendimento mais profundo do reino.

O toque é tão crucial para a compaixão de Jesus pelo mundo que ele passou alguns daqueles que ele sabia serem os preciosos momentos finais de sua vida concentrado no toque como uma profunda dádiva para seus discípulos: ajoelhando-se e lavando-lhes os pés num gesto de radical humildade.

Um dos mais antigos hinos que continua sendo regularmente usado na igreja é o "Ubi Caritas", a antífona para a Quinta-feira do Lava-pés na Semana Santa. O título é tirado do primeiro verso do hino, que traduzido diz: "Onde o amor e a caridade, Deus aí está". O hino em si é uma bela reflexão sobre como o amor que se doa nos revela Deus, nos atrai para a comunhão de uns com os outros e nos prepara para contemplar o Deus que é amor:

> Onde o amor e a caridade, Deus aí está.
> Congregou-nos num só corpo o amor de Cristo
> Exultemos, pois, e nele jubilemos.
> Ao Deus vivo nós temamos, mas amemos.
> E, sinceros, uns aos outros, nos queiramos.[3]

Em inglês, a Quinta-feira Santa é conhecida como "Maundy Thursday". O termo *Maundy* é uma adaptação da palavra latina *mandatum*, comumente traduzia como "mandamento". Provém da passagem de João 13.34, em que Jesus diz a seus discípulos:

"[...] eu lhes dou um novo mandamento: Amem uns aos outros. Assim como eu os amei, vocês devem amar uns aos outros". Jesus disse essas palavras a seus discípulos imediatamente depois de ter-se ajoelhado e lavado os pés de cada um deles. Seu mandamento — sua ordem de amor — emergiu da gravidade de seu gesto. Para a Judeia do primeiro século, onde o calçado não refletia os avanços de nossa época, e os pés acumulavam a sujeira de dias de penosas caminhadas por lugares sombrios e assombrosos, o ato de lavar os pés era um ato de humilhação. Lavar os pés de alguém teria sido considerado uma ofensa para alguém de qualquer posição social. Para os discípulos, o custo da auto-ofuscante dádiva do toque de Jesus teria sido imediatamente óbvio; ele testemunhava o amor radical, sacrificatório que Jesus ordenou a eles e a nós.

Em nossa própria época, a liturgia da Quinta-feira Santa evoca esse momento numa representação do lava-pés, geralmente realizado pelos pastores, padres ou bispos que conduzem esse serviço religioso lavando os pés de membros da congregação. Embora a natureza radical do lava-pés talvez seja menos significativa em nossa época, continua sendo chocante ver nossos líderes espirituais — pessoas por quem reservamos grande respeito — ajoelhando-se e delicadamente lavando pés sujos com as próprias mãos. Cantado ao fundo dessa cerimônia, o "Ubi Caritas" fornece o quadro maior. É precisamente por meio desses gestos tão humildes de autoempobrecimento que as glórias do céu são abertas e nós somos unificados com Deus:

Onde o amor e a caridade, Deus aí está.
Junto um dia, com os eleitos, nós vejamos
Tua face gloriosa, Cristo Deus:

Gáudio puro, que é imenso e que ainda vem,
Pelos séculos dos séculos. Amém.[4]

Ao lavar os pés de seus discípulos, Jesus revelou o toque humano como uma expressão inequívoca da capacidade que temos de nos doar em prol dos outros, de perder a vida para encontrá-la de novo em quem está ao nosso redor. Somos chamados a lavar os pés de quem nos rodeia, a estender a mão e entrar em contato com outros numa doação de nós mesmos, a nos querer, "sinceros, uns aos outros", a fim de que "vejamos tua face gloriosa, Cristo Deus".

Tocar outra pessoa, na economia de uma atividade como a de Cristo, nunca significa pedir ou exigir, mas sim dar, oferecer livremente, esvaziar-nos na humildade para sermos doados aos que nos cercam e, em compensação, receber a dádiva deles. A verdadeira comunidade e comunhão só acontece por meio dessa disposição de abandonar nossos desejos e, em vez disso, buscar o bem dos que nos rodeiam. Não precisamos de parábolas para ouvir isso nas palavras de Jesus do começo ao fim dos evangelhos, sendo-nos dado de modo claro e direto:

Marcos 9.35: "Quem quiser ser o primeiro, que se torne o último e seja servo de todos".

Mateus 19.30: "[...] muitos primeiros serão os últimos, e muitos últimos serão os primeiros".

João 15.13: "Não existe amor maior do que dar a vida por seus amigos".

O gesto de apanhar a bacia e a toalha através do toque humano pode ser constatado em qualquer relacionamento: pode ser visto no ato de abraçar uma pessoa desprezada por outros ou quando alguém silenciosamente segura a mão de um amigo magoado; pode ser visto no atencioso afeto de um pai ou uma mãe que se recusa a sentir embaraço diante uma criança irritada e, em vez disso, prefere abraçá-la; pode ser visto no amor de um filho ou uma filha na idade adulta que se tornou a pessoa que cuida de seu pai ou sua mãe na velhice; e quando as pessoas juntam seus braços com os oprimidos para protestar contra a violência ou a opressão ou o racismo, ali também está o gesto de apanhar a bacia e a toalha. Não há limites para as formas como o toque, dado com uma dádiva, revela a beleza do poder vivificador de Deus, atraindo as pessoas a se unirem em comunhão e comunidade.

O momento de comunhão

Bem no meio de uma prestigiosa carreira acadêmica na França, Henri Nouwen largou tudo e foi viver uma vida tranquila e simples entre deficientes mentais em Ontário. Depois de ver de perto os salões do poder em lugares como Yale e Harvard, Nouwen acreditava que a cultura moderna tinha uma visão invertida daquilo que constitui o sucesso e os valores, e que para recuperar uma vida significativa era preciso desapegar-se do desejo de grandeza pessoal — e, pouco a pouco, o medo da rejeição que nos paralisa:

> O mundo lhe conta muitas mentiras sobre quem você é, e você simplesmente tem de ser bastante realista para lembrar-se disso. Sempre que se sente magoado, ofendido ou rejeitado, você precisa ousar dizer a si mesmo: “Esses sentimentos, por mais fortes que sejam, não estão me dizendo a verdade a meu respeito.

A verdade, muito embora eu não possa senti-la neste exato momento, é que sou o filho escolhido de Deus, precioso aos olhos de Deus, chamado o Amado desde toda a eternidade, e desfruto da segurança de um abraço eterno".[5]

Nouwen sugere que o efeito do desapego do sentimento de autoimportância não reverte apenas em nosso proveito, mas também faz que nós, vendo-nos à luz do amor de Deus, tomemos consciência da glória intrínseca plantada em cada pessoa ao nosso redor, uma glória que está ao dispor de cada pessoa independentemente do valor dela aos olhos do mundo. Naquele espaço aberto, Deus atrai todo mundo para si num abraço de pertencimento:

> Em vez de fazer que sintamos que somos melhores, mais preciosos ou valiosos do que outros, nossa consciência de sermos escolhidos nos abre os olhos para a natureza de escolhidos dos outros. [...] Uma vez que profundamente confiamos que somos preciosos aos olhos de Deus, estamos habilitados a reconhecer a preciosidade dos outros e seus lugares únicos no coração de Deus.[6]

No fim, essa liberdade nos mostra que, abandonando os desejos de grandeza no mundo e, em vez disso, vivendo no amor de Deus que se doa a si mesmo a nós, sentimo-nos capazes de nos doar aos outros como uma dádiva e assim receber de volta nossos desejos plenos: "Nossa maior realização consiste em tornarmo-nos pão para o mundo. Essa é a mais íntima expressão do mais profundo desejo de nos doarmos uns aos outros".[7] Dar e receber com liberdade tão radical significa sentir-se livre da prisão do valor de si mesmo, liberado para a realização dos mais profundos anseios plantados em nosso coração pelo Deus que se doou por nós.

Talvez uma das expressões mais visíveis dessa doação mútua esteja na singular e sagrada forma do tato concebida exclusivamente para o casamento, o sexo e o que isso naturalmente possibilita, uma nova vida. Na sexualidade tal qual ela deve ser, emulando o coração servo de Cristo, uma pessoa é convidada a doar a plenitude de si mesma e a receber em troca a plenitude de outra pessoa, não retendo nada, mas antes deixando-se doar plenamente e permitindo que a outra pessoa ocupe por sua vez o seu lugar. É nessa doação mútua entre um homem e uma mulher que alguma coisa milagrosa acontece: em vez de uma simples troca de lugares, na qual os dois permanecem em si mesmos, os dois são ressuscitados num novo, singular todo. O sexo é a ação sacramental que expressa a irreversível e mística fusão de duas pessoas que entregam a dádiva de si mesmas uma a outra e, em consequência disso, são inextricavelmente elevadas numa comunhão mútua. Essa é a razão pela qual, para os cristãos, a sexualidade deve situar-se no contexto do casamento. A glória do sexo não pode encontrar-se na experiência individual de cada pessoa, mas sim na alegria que decorre da participação mútua de duas pessoas. Um consorte no casamento não é alguma *coisa* a ser transformada em objeto de prazer; é antes *alguém* de valor infinito a ser honrado na intimidade. A simbiose da doação no sexo significa que para receber a plena e completa doação da outra pessoa faz-se necessária a plena e completa doação de si mesmo em troca.

O sinal dessa nova comunhão é a potencialidade de uma nova vida humana. Independentemente de uma nova vida resultar do sexo ou não, os filhos estão inextricavelmente entrelaçados com a sexualidade cristã, porque uma criança se torna a expressão viva e amada da doação no casamento. Ela espelha a maneira pela qual recebemos uma nova vida por meio da encarnação divina, a autodoação do próprio Deus, por meio de Cristo tornando-se carne e assumindo nossa forma humana. Da doação encarnacional de si mesmo resulta o começo de uma nova vida. A beleza de uma nova vida deve sempre ser uma crucial potencialidade do eros cristão, pois a sexualidade, como todo contato físico na prática cristã, está imbuída da capacidade de testemunhar sacramentalmente que, mediante a doação do toque como uma dádiva, a fé, a esperança e a caridade renascem no mundo.

Precisamos desses exemplos de coragem na doação de nosso contato como uma dádiva, porque no casamento e na amizade, na paternidade, na maternidade e na infância, em todos os tipos de relacionamento, dar e receber significa aceitar não apenas a alegria inerente nessa dádiva, mas igualmente as feridas que também a acompanham. Significa assumir os sofrimentos dos outros, e assim receber por meio deles o Salvador em sua agonia.

Compartilhar as feridas de outro

Caravaggio, pintor do período Barroco italiano, fez uso de luz e sombra para obter um efeito dramático em seus quadros. Esse estilo desenvolvido por ele é denominado *chiaroscuro*. O *chiaroscuro*, depois conhecido como *tenebrismo*, do latim *tenebrae*, que significa "trevas", permitiu que Caravaggio situasse os personagens de seus painéis sobre um fundo negro e usasse a luz para iluminar vários aspectos do corpo deles. Mediante esse estilo, os contornos da expressão humana nos personagens de Caravaggio, a postura, os gestos e as diversas expressões faciais, que de outro modo se confundiriam com o fundo do quadro, são iluminados e se cristalizam assumindo um significado mais profundo.

No quadro de Caravaggio *A incredulidade de São Tomé*,[8] Tomé se inclina para a frente olhando atento para um Jesus ressuscitado, que abriu sua túnica a fim de revelar uma ferida aberta em seu peito. A mão dele confiantemente guia um dedo de Tomé para dentro da ferida, apertando-o contra a dilacerada pele do corte profundo. O rosto de Jesus está obscurecido na sombra e, em vez dele, é seu peito e sua mão guiando a mão de Tomé para a ferida em seu flanco direito que são iluminados, revelando em corajosos detalhes a chocante vivacidade com que Jesus força o dedo de Tomé para dentro da ferida.

A luz também incide sobre a testa de Tomé, mas ela é capturada em surpresas rugas, luminosidade interrompida por intermitentes vincos de sombra. É como se o intenso contato com a carne de Cristo tivesse acendido o fogo da consciência dentro dele. E, no entanto, ao mesmo tempo, o conhecimento desse contato obriga Tomé a participar do sofrimento implícito nos contornos da ferida no flanco de Cristo, um envolvimento mostrado por meio das linhas escuras da tristeza gravadas na luz que incide sobre sua testa. Numa reação que parece inconsciente, a mão esquerda de Tomé segura seu próprio flanco, como se ele tivesse de certo modo sentido a reiteração da dor de Cristo em seu próprio corpo.

A cena é visceral e desconcertante, forçando-nos a reconhecer, talvez, o que o encontro de Tomé com o corpo de Jesus nos diz sobre o contato. Muito facilmente nos fixamos no teimoso desejo de Tomé de encontrar Jesus em carne e osso como um sinal de dúvida. Mas e se o contato com as feridas de Cristo revelar, sem nenhuma intenção de Tomé, uma sagrada verdade sobre conhecer Jesus? Intencionalmente ou não, a insistência de Tomé em tocar as feridas de Cristo afirma Jesus como verdadeiramente humano e nos diz de modo expresso que acreditar verdadeiramente em Cristo não significa satisfazer-se com a mera noção do outro, mas sim insistir no contato humano que honra a imagem divina em cada ser humano. Nesse contato, Tomé se torna mais profundamente consciente de si mesmo, um ser humano envolvido de modo tão profundo na comunhão com Jesus por intermédio do poder do tato que o sofrimento que ele encontra na ferida de Cristo reverbera em sua própria experiência encarnada. Mais do que apenas afastar uma dúvida, o quadro de Caravaggio abre para nós um entendimento potencialmente crucial da participação em Jesus: entrar em contato com as feridas de outra pessoa é conversar intimamente com Cristo; pois quando aceitamos entrar em contato com outra pessoa, nós, como Tomé, recebemos os sofrimentos de Cristo manifestados naquela pessoa. Manter os que nos cercam a certa distância e tão somente reconhecer a vida e os sofrimentos deles é manter à distância o próprio Jesus.

Madre Teresa, a freira albanesa do século 20 que cuidou dos enfermos e moribundos das favelas de Calcutá, interessou-se particularmente pela enfermidade da lepra. Devido ao medo de que aquela doença deformante fosse altamente contagiosa, muitos dos que contraíam esse mal eram de imediato abandonados pela própria família, para morrerem sós e desassistidos. Madre Teresa passou a vida cercada por suas irmãs freiras Missionárias da Caridade, congregação religiosa fundada por ela em 1950, cuidando dos enfermos e assistindo os moribundos. Mesmo quando toda a sociedade ao redor deles se afastava dos leprosos amedrontada, Madre Teresa os abordava estabelecendo um íntimo contato humano: banhando-os, cuidando de suas feridas e abraçando-os quando a morte se aproximava. Madre Teresa entendeu o amor de Cristo que só pode ser dado e recebido no toque de outra pessoa e viu como a vida contemporânea é distorcida nesse respeito, como ela nos distanciou desse tipo de amor:

> O maior mal no Ocidente nos dias de hoje não é a tuberculose ou a lepra; é não ser desejado, não ser amado e não ser cuidado. Podemos curar os males físicos com remédios, mas a única cura para a solidão, o desespero e o desamparo é o amor. Há muita gente no mundo morrendo por falta de um pedaço de pão, mas há muito mais morrendo por falta de um pouco de amor.[9]

E como devemos expressar esse amor? Por meio da graça do contato humano, diz Madre Teresa:

> Toquemos os enfermos, os pobres, o solitários e os indesejados de acordo com as graças que recebemos e não nos sintamos envergonhados ou relutantes ao executar tarefas humildes.[10]

Quando aceitamos ir ao encontro do sofrimento em outras pessoas, nós expressamos o amor encarnado de Jesus de um modo que nenhuma simples declaração de amor jamais poderia conseguir. Se Agostinho está certo quando diz que um sacramento é um sinal exterior de uma graça interior, então ao permitirmo-nos estabelecer um contato com os sofrimentos de outras pessoas nós nos tornamos sacramentos encarnados que infundem a graça de Cristo por intermédio de nosso próprio corpo.

Testemunho sacramental

E nós não conseguimos esse testemunho sacramental graças a qualquer meio pessoal nosso. Pelo contrário, conseguimos isso por meio da emulação de nosso Mestre, aquele que nos mostrou com sua vida como é o dom do contato humano, como a cura e a vida estão inextricavelmente envolvidas nele. A dádiva que Jesus nos deu com sua vida, morte e ressurreição não é apenas a salvação ou a restauração de nosso relacionamento com Deus, mas é antes a dádiva divina de si mesmo, uma dádiva que somos chamados a renovar cada vez que participamos da Ceia do Senhor. Já testemunhamos como Jesus permitiu que sua vida fosse dada num contato íntimo, reparador com outros, para fazer de seu corpo um canal de restauração divina que proporcionava a cura; mas a complementação do ministério de cura de Jesus não termina com seus últimos milagres terrenos. Pelo contrário, ela se torna evidente na final e completa doação de seu corpo em benefício do mundo, em seu sofrimento e morte na cruz. Em 1Coríntios 11.24, Paulo nos lembra de que devemos constantemente recordar as palavras de Cristo e mantê-las sempre à mão: "Este é meu corpo, que é entregue por vocês. Façam isto em memória de mim". Todas as vezes que participamos da mesa da Comunhão, quer acreditemos que essa participação é apenas uma lembrança ou algo mais, nós nos confrontamos com a terrível e gloriosa beleza do corpo de Cristo dado por nós, e quando recebemos o pão e o vinho em nosso corpo, somos estimulados a tomar consciência do que significa dar nosso corpo, por meio do contato humano, como uma dádiva completa, exatamente como Jesus deu o seu por nós. Retornar à mesa é aceitar esse convite, essa vocação, e torná-la manifesta em nossa vida de novo todos os dias.

Como podemos avançar rumo a essa abertura? Como podemos nos treinar para ser atenciosos com os outros, para viver e agir como se nossa vida, nossas ações e nossos envolvimentos sensoriais devessem ser dados como dádivas? Existe um método antigo, uma rotina que nos é dada para períodos de esterilidade, que nos ajuda a aguçar os sentidos e deixá-los mais alertas para uma vida imbuída de Cristo. O jejum nos proporciona um método para limpar as janelas da alma.

Exercícios sensoriais

- Reflita sobre alguma lembrança de ter recebido manifestações de amor ou compaixão por meio do tato. Quem estava envolvido? O que o levou a esse encontro? De que sensações você se lembra? O que torna isso uma lembrança tão vívida para você?
- Muitas pessoas têm experiências de tato que são penosas, até mesmo violentas. Se memórias de experiências como essas voltam à tona para você, leve-as à presença de Deus em oração. Peça-lhe que supere o sentimento do dano com sua provisão de amor. Considere a possibilidade de compartilhar sua história com alguém digno de confiança que possa ajudá-lo a processar aquela experiência; talvez um conselheiro ou outro profissional da saúde mental.
- Quem em sua vida seria abençoado por um toque seu compassivo, amoroso, auxiliador? Planeje praticar esse ato de bondade por essa pessoa.

7

A SAGRADA ARTE DE LAVAR JANELAS

Buscar a renovação divina em períodos estéreis

É impossível entrar no mistério de Deus
sem entrar na solidão e silêncio
de nosso deserto interior.

CARDEAL ROBERT SARAH

Sem Wi-Fi.

Assim que recebi o e-mail de meu amigo convidando-me para um retiro de escrita nas Terras Altas da Escócia, confesso que a linha supramencionada, escondida numa lista de todas as coisas gostosas e empolgantes daquele fim de semana, foi a que se destacou. Eu sabia, sem sombra de dúvida, que estava rapidamente chegando àquele ponto de estagnação que sobrevém a todos os escritores, depois de estacionarem nos mesmos arredores por um tempo um pouquinho longo demais. Eu sabia que um fim de semana como aquele seria o remédio exato para trazer minha musa de volta e para eu voltar ao normal.

Mas *sem Wi-Fi?*

No carro, a caminho da fazenda onde ficaríamos, a preocupação incômoda de estar desconectado por vários dias seguidos misturava-se com um intensificado impulso de verificar o celular a intervalos de poucos minutos, um hábito arraigado que a expectativa de meu iminente blecaute digital só fazia aumentar. Finalmente, depois de ter deixado para trás as cidades costeiras de Dundee e Aberdeen e entrado nos contrafortes dos Cairngorms, o conjunto de picos que compõem o começo das Terras Altas, a temida mensagem apareceu na minha tela:

Sem serviço.

Suspirei, olhando apalermado pela janela. Feixes brilhantes, dourados de cevada de inverno moviam-se rápidos feito borrões, numa paisagem ondulante de verde-esmeralda, reluzindo apesar do frio entorpecido de fevereiro. Já mais adiante, colinas em declive deram lugar a montanhas, com picos nevados projetando-se e formando arrojados ângulos contra um céu num tom pastel. Bandos de aves explodiam para o alto saindo de lugar nenhum, formando manchas que se solidificavam e desintegravam dezenas de vezes num piscar de olhos. Encantado, deixei-me seduzir por algum tempo, embalado pelo vaguear do carro por uma estreita e sinuosa estrada de montanha. Em seguida, como se obedecendo a um sinal, inconsciente botei a mão no bolso e tirei de novo o celular. Automáticos, meus olhos seguiram o exemplo, fitando minha linha da vida digital sem nenhuma intenção que não fosse a de me distrair e divertir. De imediato percebi a futilidade da ação, dado que agora estávamos ainda mais distantes do serviço de telefonia do que estivéramos antes. E, no entanto, além daquela percepção, outra que estivera oculta sob a superfície de minha mente de súbito ganhou vida: a consciência da total esterilidade e banalidade da imagem diante de mim comparada com o banquete visual que eu acabara de contemplar. Surpreso e castigado por aquele sentimento, tornei a botar o celular no bolso e voltei os olhos para o cenário exterior.

Mais tarde (e depois meia dúzia de subconscientes verificações no celular), chegamos ao nosso destino. A velha casa da fazenda estava pousada no alto de uma colina, com vista para um grande vale, além do qual surgia o impressionante vulto do Ben Rinnes, o pico mais alto daquele lugar. Enquanto descarregávamos nossas bagagens deixando-as amontoadas no saguão da entrada, abrimos as cortinas que cobriam a longa janela panorâmica, estendendo-se por toda a cozinha e a sala de jantar, com vista para o vale. Embora ainda nem fossem as quatro da tarde, seguindo à risca a moda escocesa, o sol invernal havia começado a se pôr cedo e deixava apenas um cintilante contorno de luz no topo da montanha solitária. As chamas rosa-choque fundiam-se no céu com um anil profundo, e acima delas despontava a primeira suave aparência de luz estelar. Por um momento, ficamos todos em silêncio, maravilhados, até que nosso anfitrião se pôs a falar entusiasmado: "Vamos fazer uma caminhada antes que fique escuro demais!". Estivesse eu em casa, contemplando de minha janela um esplêndido pôr do sol, talvez tivesse hesitado por um momento antes de acatar o chamado de volta para a Netflix ou o Facebook ou para e-mails não lidos, um milhão de pequenos fragmentos que distraíam minha atenção. Mas aqui, o fascínio daquilo que se me apresentava não tinha intermediários. Ele me chamava, me forçava e até me advertia. De repente me senti envolvido por uma estranha vergonha: será que eu me atreveria a recusar uma oportunidade como aquela? Pela segunda vez naquele dia, me senti confuso ao ouvir uma voz interior dirigindo-se a mim, uma voz interior havia muito tempo sufocada, mas de repente manifestando-se com brilhante clareza.

Mais tarde aquela noite, no aconchegante calor da casa da fazenda e na companhia de amigos, conversamos e rimos e compartilhamos fatos sobre nossa vida e nossas esperanças. Todos juntos sentados à mesa, consumimos uma refeição caseira e trocamos brindes em alegre companheirismo. Em seguida, pegamos um banjo e um ukulele e rimos enquanto dedilhávamos canções folclóricas e melodias favoritas. No fim, depois que nos demos o boa-noite e fomos para nossos respectivos quartos, senti a voz interior começando a falar comigo, com palavras havia muito sepultadas sob a grande camada de pó de minhas atividades e distrações: *O mundo está sempre esperando que você erga os olhos e o enxergue.*

Os dias seguintes daquela viagem continuam igualmente vibrantes em minha memória. Cada lembrança tem até agora uma clareza surpreendente: o jeito como a luz atravessava os galhos dos pinheiros, ou o verde-musgo do tapete molhado cobrindo o chão do lado norte das árvores; o sorriso de amigos e a tranquilidade da camaradagem deles; o irresistível gosto de pão quentinho servido direto do forno; a sensação do descanso real, persistente de entrar plenamente na quietude ao meu redor, sem interrupções de notificações de alertas ou de chamadas telefônicas ou de e-mails; o hálito do espírito de Deus no vento, fluindo em meu rosto, e a luz de seu semblante no sol que me aquecia enquanto eu ficava deitado sobre a urze na colina acima da fazenda.

Depois de três dias que pareceram conter a plenitude de um ano de coisas boas, chegara a hora de voltar para nossa vida normal em St. Andrews, assumir nossas responsabilidades mais uma vez e entrar de novo na luta. E, apesar disso, enquanto refazíamos a jornada de volta por estreitas estradas através das montanhas, meus olhos estavam alertas e conscientes. No nevoento manto que nos acompanhou até chegarmos em casa, eu senti, no fundo de meu ser, que havia mais em cada orvalhada folha de capim, em cada árvore e colina e brejo prateado, pressionando-me, buscando algo dentro de mim; e no meu coração, na intimidade do meu ser, aquele cuja voz finalmente se fizera ouvir durante o fim de semana irrompeu numa ardente resposta ao chamado. Assim como ela se havia embaçado por trás da sujeira e do pó das frenéticas distrações da vida, agora a janela de minha alma tinha sido limpada, desobstruída. A imagem do coração divino pressionando-me por intermédio do mundo ao meu redor era tão evidente como a luz do dia.

Avivar as estrelas

Mais do que qualquer outra coisa que lhe mostrei neste livro, espero que você tenha entendido que fomos criados para experimentar Deus por intermédio dos sentidos e para, nesse encontro, conhecê-lo melhor e crescer no amor. E, no entanto, até mesmo nossos sentidos podem ficar sobrecarregados; as janelas da alma acabam cobertas de sujeira, e acontece que, sem nos darmos conta disso, perdemos o poder de alcance da visão do que é bom, verdadeiro e belo. Seja por causa dos hábitos negativos do pecado ou, talvez com frequência até maior, por causa da saturação de nossa vida com o excesso de ocupações, experiências em demasia, diluindo-nos em exigências sem fim que nos impomos a nós mesmos, mesmo quando essas exigências são dignas e boas, descobrimos que o mundo acaba se separando de nós, e seu acesso torna-se difícil. Descobrimos que nos distanciamos do próprio mundo, embora nossos sentidos tenham sido criados para entrar em contato com ele.

É no que se refere a esse distanciamento que a dádiva do jejum se torna para nós uma forma de avançar, uma forma de voltar àquele contato com o sagrado por intermédio dos sentidos. Jejuar é a prática antiga de remover temporariamente de nossa vida as coisas que exigem atenção e afeto em benefício da oração e reflexão. Talvez a disciplina espiritual mais comum, o jejum está engastado como uma relíquia nas rotinas do ano litúrgico da igreja pelo menos duas vezes: durante o período do Advento, que conduz ao Natal, e o período da Quaresma, que conduz à Páscoa. O jejum é ao mesmo tempo uma das disciplinas espirituais mais antigas da igreja e uma das mais incompreendidas. É fácil explicar a razão disso: removendo a comida, a bebida e outras coisas boas que se tornam caminhos normais para nossos sentidos, de que modo podemos pensar no jejum como qualquer outra coisa que não seja uma desaprovação dos sentidos, uma crença de que, de certo modo, em última análise, os sentidos estão errados e nos levarão ao mau caminho? Poderia quase parecer que, temerosa de que nos tornemos demasiado indulgentes, a igreja institui esses dois períodos para diminuir os sentidos e assim garantir que não daremos a eles preferência excessiva.

A tradição do jejum na prática cristã nos conta uma história muito diferente. Longe de ser uma rejeição dos sentidos, o jejum intrinsecamente reconhece o *poder* dos sentidos em nossa vida e como eles nos moldam e constituem nossa experiência da realidade. Os vários pontos sensoriais de contato com o mundo, sejam bons ou maus, não envolvem simplesmente os sentidos. Envolvem o *coração mediante os sentidos*. Os sentidos são canais, condutos da revelação do próprio Deus no mundo criado, e revelam ao coração o que a mente por si só não consegue compreender ou decifrar. Os sentidos são nossa única porta de entrada para o mundo tal qual ele nos é dado por meio do que é tangível e pode ser experimentado. Não só nos proporcionam um encontro com Deus por meio dos aspectos tangíveis do mundo que nos cerca, como já discutimos de muitas maneiras diversas até aqui neste livro, mas até o conhecimento e a compreensão de quem é Deus, e quem é Jesus como uma revelação desse Deus, são realidades captadas por meio dos sentidos. É com os ouvidos que ouvimos a boa-nova da pregação do evangelho, e é com os olhos que lemos as palavras da Escritura. Recebemos o testemunho do espírito de Jesus vivendo nos outros por meio da observação das ações deles, do tratamento que dispensam a outras pessoas e ao mundo ao redor. Sem os sentidos, não teríamos a capacidade de conhecer Deus de modo algum. A disposição dos sentidos, a saúde e vitalidade deles em qualquer ponto de nossa vida, são de máxima importância porque nossa capacidade de receber a bondade de Deus depende da contínua comunicação sensorial dessa bondade.

O jejum confere grande honra ao modo como os sentidos orientam nossos desejos: ele mostra o perigo de um sentido treinado erroneamente que pode nos levar a práticas profundamente prejudiciais e desordenadas, e de igual maneira reconhece o poder dos sentidos redimidos quando usados para elevar a consciência da pessoa em relação a Deus e cultivar os desejos dela de participar na vida divina. Jejuar não significa *rejeitar* os sentidos, mas *reformá-los*, *reorientá-los* e permitir que eles sejam *reexercitados*. Significa, paradoxalmente, um radical *acolhimento* dos sentidos, limpando a película suja que se forma nas janelas do coração, de modo que possamos ver de novo com um renovado olhar interior e reconhecer a luminosidade brilhando mais uma vez em todas as coisas.

O teólogo e músico ortodoxo Peter Bouteneff resume lindamente essa sensibilidade ao discutir o mais importante período de jejum no calendário da Igreja Ortodoxa, as seis semanas que antecedem a Semana Santa e a Páscoa:

> A Grande Quaresma nos propicia um período de vigilância que nos preparará adequadamente para o genuíno e duradouro júbilo da redenção. É um escurecimento *deliberado da noite que visa iluminar nossa percepção das estrelas*. Não é nenhum exagero dizer que praticamente todas as disciplinas espirituais, orientais e ocidentais, promovem espécies semelhantes de renúncia *a fim de redirecionar e aguçar os sentidos*.[1]

A elegante alusão de Bouteneff às estrelas capta a maneira pela qual a abstinência da interação sensorial eleva nossa consciência em relação àquele que "possuía a vida, e sua vida trouxe luz a todos" (Jo 1.4). Os dois períodos regulares de jejum na igreja expressam isso. No Advento, o jejum nos capacita mais a alimentar a expectativa da aurora de Cristo no mundo no Natal, exatamente como diz Zacarias em Lucas 1.78-79: "Graças à terna misericórdia de nosso Deus, a luz da manhã, vinda do céu, está prestes a raiar sobre nós, para iluminar aqueles que estão na escuridão e na sombra da morte". E na Quaresma, ele nos capacita mais a entrar nas trevas daquela sombra, aguardando, como os discípulos, o retorno de Cristo, que destrói a noite para sempre na luz matinal de sua ressurreição na Páscoa: "O choro pode durar toda a noite, mas a alegria vem com o amanhecer" (Sl 30.5).

Nessa escuridão dos sentidos que faz brilhar a estrela de Cristo, como sugere Bouteneff, nós tomamos consciência de outro efeito do jejum, um efeito que não implica a mera renovação de aspectos sensoriais, mas sim uma renovação que nos leva — mediante o desapego, mediante a perda de algo significativo e bom em nossa vida — a uma experiência sensorial mais profunda que intensifica o desejo por Jesus.

O oculto, manifesto Jesus

Muitos de nós provavelmente já cantaram o hino "Ó fronte ensanguentada", mas o que talvez poucos saibam é que essa clássica composição expressando o sofrimento da crucificação de Cristo foi extraída de uma obra-prima muito mais longa de Johann Sebastian Bach, a *Paixão segundo São Mateus*. No cenário de sua paixão, Bach quis evocar a sensação de sofrimento da crucificação e ajudar o ouvinte a entender e abraçar mais profundamente o sofrimento da cruz. Bach usa sua composição musical para interagir com a teologia do Deus oculto, a ideia de que Deus se torna mais presente para nós exatamente quando parece estar fora do alcance de nossos olhos. Para tanto, Bach utiliza uma estrutura em constante expansão em cada movimento para envolver o ouvinte não apenas com a paixão de Cristo na cruz, mas também com a *paixão por* Cristo, para amá-lo e desejá-lo de modo mais profundo, até mesmo quando ele desaparece de vista em sua morte e sepultamento.

A história é primeiramente ambientada na própria Escritura, sendo cantada por meio de *recitativos*, ou declamações sem ritmo determinado, neste caso de versos extraídos da narrativa bíblica. Essas narrações da Escritura são apresentadas de modo direto, com pouca ostentação ou adorno composicional; às vezes esses recitativos são intercalados com arranjos corais que, seguindo uma forma típica para os cenários da paixão da época, funcionam como a voz de diversos personagens ou de um grupo de personagens mencionados no texto bíblico. Esses recitativos e arranjos corais constituem os aspectos narrativos básicos da história da crucificação, a história que muitos de nós conhecemos de cor.

Além disso, porém, elementos adicionais de solos e corais articulam a história dentro da história, as emoções dos que contemplam os acontecimentos desenrolando-se diante deles. Nesses momentos adicionais, a música é expressiva, emotiva, cheia de ardor e drama, às vezes esplêndida e enlevada, outras vezes lamentosa e triste. O texto poético, extrabíblico cantado nessas passagens não é narrativo mas sim reflexivo, como se fosse uma visão da reação interior dos espectadores imediatos da cena. Esses momentos lançam o foco da história sobre nós, de modo que em vez de meros observadores nos tornamos participantes tendo uma real e visceral reação humana ao sofrimento de Cristo. Assim, somos forçados a ir além da recepção do relato bíblico como se ele fosse uma apresentação neutra de fatos e, em vez disso, somos forçados a entrar na paixão, dor e glória ocultos além do próprio texto, no drama redentor em questão.

O último dueto e o conjunto coral que encerra todo o cenário da paixão revelam isso plenamente. Em vez de antecipar a ressurreição, a obra termina num espaço ambíguo. O penúltimo recitativo relata os versículos finais de Mateus 27: "Pilatos respondeu: 'Levem soldados e guardem o túmulo como acharem melhor'. Então eles lacraram o túmulo e puseram guardas para protegê-lo" (Mt 27.65-66). Entrando no severo final do texto, um tranquilo dueto antifonário entre os solistas e o coro se inicia. Cada solista por sua vez expressa a maneira pela qual Cristo, em suas palavras na cruz, completou a obra da salvação. A cada declaração de um solista, o coro responde com o refrão: "Meu Jesus, meu Jesus, boa noite!":

Tenor: O sofrimento que nossos pecados lhe causaram findou.
Coro: Meu Jesus, meu Jesus, boa noite!
Contratenor: Ó abençoados ossos, vejam como me condoo penitente e lamento que minha queda que lhe tenha causado tanto sofrimento.
Coro: Meu Jesus, meu Jesus, boa noite!
Soprano: Mil agradecimentos eternos pelos teus sofrimentos que tão altamente valorizam a salvação de minha alma.
Coro: Meu Jesus, meu Jesus, boa noite![2]

Enquanto os solistas fazem suas declarações e o coro responde com o refrão, a música se transforma; o que começa num pastoral tom maior torna-se cada vez mais dissonante. No fim das idas e vindas entres os solistas e o coro, a música termina num atribulado tom menor. Isso abre o caminho para o conjunto coral final, que expressa de que modo, até mesmo quando Jesus está literalmente oculto longe de visão atrás de uma barreira de pedra, o ouvinte é convidado a aproximar-se de Cristo, a deixar que as partes mais íntimas de seu coração descubram o Cristo lá oculto:

> Sentamo-nos e choramos e apelamos para ti na sepultura: descansa em paz, em paz descansa, descansa em paz, em paz descansa! Descansa teus membros exaustos! Descansa em paz! Tua sepultura e tua lápide serão um travesseiro confortável e um lugar de descanso para a alma e para a mente apreensiva. Repletos de prazer, os olhos ali podem dormir. Sentamo-nos e choramos e apelamos para ti na sepultura. Descansa em paz, em paz descansa, descansa em paz, em paz descansa![3]

A música flui e reflui numa emotiva reflexão em tom menor, intercalando solos com plenas texturas corais. Embora o texto seja respeitoso e aparentemente restrito ao abandono da sepultura, a forma usada por Bach nessa seção final é uma sarabanda, uma majestosa forma de dança. É como se, mesmo que o texto oculte Cristo nas trevas do sepulcro, a música desafiasse esse caráter final, provocando nosso coração a entrar numa dinâmica participação em contraste com as próprias palavras. Talvez, nisso, a intenção de Bach para toda a peça se torne clara. Atraindo o ouvinte para os aspectos emotivos da história nos quais, para o observador, Jesus é lentamente oculto e se perde de vista, a paixão pela presença de Cristo se torna mais profundamente incutida em nosso coração, e somos convidados a uma devoção mais profunda em nossa vida. É por meio da ausência que a presença de Deus se nos torna mais clara e mais vital.

Essa verdade talvez se torne mais evidente no Sábado Santo, o dia que encerra a Quaresma. Há um estranho ínterim separando o horror da crucificação na Sexta-feira Santa da alegria da ressurreição no Domingo de Páscoa. Sendo o dia do encerramento do jejum quaresmal, o Sábado Santo de alguma forma resume todo o alcance da razão do jejum: a remoção premeditada de um envolvimento sensorial valioso em nossa vida é tão necessária, tão intrínseca à época em que a igreja reflete sobre a paixão de Jesus. Em sua obra escrita em conjunto com a arte de William Congdon, Joseph Ratzinger, o teólogo e sacerdote católico que viria a ser o papa Bento XVI, fez uma tocante reflexão sobre o vazio do Sábado Santo:

> Na Sexta-feira Santa podíamos pelo menos contemplar seu corpo trespassado. Mas o Sábado Santo é vazio, a pesada pedra do túmulo novo oculta o falecido, tudo acabou, a fé parece definitivamente desmascarada como pensamento ilusório.[4]

Assim como o jejum elimina o envolvimento sensorial com o mundo em si e nos distancia dos sentidos, também o Sábado Santo se torna um modo de praticar uma consciência do desespero de um mundo que não contasse com o libertador amor de Deus:

> Precisávamos das trevas de Deus, do silêncio de Deus, a fim de experimentar o abismo de sua grandeza e o abismo de nossa nulidade, que se tornariam evidentes se não fosse por ele.[5]

De certo modo, em meio a essa ausência, nós sentimos de modo intenso e manifesto a presença de Cristo conosco nos momentos do mais profundo sofrimento:

> Ninguém pode imaginar o que no fundo significam as palavras "desceu aos infernos". Mas quando nós mesmos nos aproximamos de nossa solidão final, nos será permitido vislumbrar alguma coisa desse tenebroso mistério. [...] Começamos a dar graças pela luz que já nos chega dessas trevas.[6]

Assim como na *Paixão segundo São Mateus* de Bach, em nosso tempo de espera no Sábado Santo, a ocultação de Jesus, sua aparente ausência, transforma-se em algo que nos torna mais conscientes de nossa necessidade dele, do significado de sua vinda ao mundo levando-nos de volta à comunhão com o Pai por meio do próprio Jesus.

O jejum contém esta verdade e a ensina a nossos sentidos: graças à ausência do envolvimento sensorial com o mundo, somos levados a uma consciência de nossa necessidade de Cristo e a um profundo desejo de que ele se mostre em nós. Afastando os sentidos de suas normas habituais de envolvimento com Deus por um tempo, o jejum misteriosamente intensifica nosso desejo de que de novo Cristo seja real, reordenando os sentidos para longe de desejos errados e de volta para a profunda consciência da presença dele irrompendo em cada cantinho do mundo.

De fato, essa noção está tão interligada com o espírito do jejum que muitos teólogos ao longo da história da igreja procuraram reavaliar o silêncio e as trevas não como um mal, mas sim como um bem que nos capacita a experimentar o Deus que é inatingível por intermédio do pensamento ou das capacidades sensoriais. Já falamos dessa tradição teológica, na introdução. É o método da teologia *apofática*, o método da negação como meio de compreender o Deus incompreensível. É a *via negativa*, o método da negação.

A escuridão cintilante

Em seu tratado místico *Itinerário da mente para Deus*, o teólogo medieval Boaventura reflete sobre os passos da contemplação que levam a uma participação mística da presença de Deus. Ele conduz o leitor através da consideração de vários aspectos da oração e da meditação. Começa com a recepção da vida de Deus no mundo por meio dos sentidos; considera a beleza interior da imagem de Deus em cada um de nós; sobe dessa iluminação interior até a consideração da Trindade; e finalmente acaba subvertendo o roteiro da contemplação por ele apresentado. Para Boaventura, o passo final do itinerário da mente para Deus é *desapegar-se*.

Ele sugere que, quer sejam os sentidos, os meios pelos quais Deus se nos revela no mundo, quer seja o intelecto, nossa capacidade de entender e ver sentido no mundo, nossas faculdades pessoais só nos podem levar até esse ponto. De certo modo, é no silêncio, na boa vontade de admitir nossa limitação, esperando pacientemente por Deus sem ir à procura de conhecimento ou entendimento, que algo novo nasce. O próprio Deus se encarna nos silêncios de nossa ignorância. Para Boaventura, é nessa escuridão que a graça é recebida da maneira mais evidente; pois nessa escuridão, na qual renunciamos à capacidade de entender, ficamos mais capacitados a receber a dádiva real da fé:

> Peça a graça, não a erudição; o desejo, não o intelecto; o gemido da oração, não a leitura diligente; o Noivo, não o professor acadêmico; Deus, não um ser humano; a escuridão, não a claridade; não a luz, mas o fogo que inflama totalmente e leva a Deus por meio de um fervor espiritual e com os mais ardentes sentimentos.[7]

Segundo esse entendimento, para Boaventura, a cruz se torna não um sinal de maldade, mas sim da virtude da *via negativa*. Quando abraçamos o vazio representado pela crucificação de Cristo, um caminho se abre diante de nós, um caminho que fica fechado se nos recusamos a abandonar o entendimento. Para Boaventura, a cruz se torna o sinal místico por meio do qual nosso desejo de compreender dá lugar à experiência infinitamente superior, a de comunicar-se com Deus, que está além de nossa imaginação:

> Morramos, então, e entremos nessa escuridão. Silenciemos todas as nossas preocupações, desejos e imagens da imaginação. Passemos, com o Cristo crucificado, deste mundo para o Pai, de modo que, quando o Pai nos tiver sido mostrado, digamos com Filipe: Isso nos basta. Ouçamos com Paulo: A minha graça te basta; e exultemos com Davi, dizendo: A minha carne e o meu

coração desfalecem; tu és o Deus do meu coração e a minha porção para sempre.[8]

Para Boaventura, o caminho para a realização de nossos mais profundos anseios espirituais consiste em nos desapegarmos do entendimento e haurirmos da eterna fonte da vida de Deus. O caminho para a plenitude é morar no misterioso silêncio de Deus.

O compositor contemporâneo estoniano Arvo Pärt muitas vezes mergulhou nas águas do silêncio. Embora tivesse iniciado sua carreira produzindo expressivas obras de vanguarda em sintonia com outros compositores da segunda metade do século 20, depois de exercer por apenas alguns anos seu trabalho, ele de repente parou de compor durante oito anos. Discute-se o que impediu Pärt de produzir novas composições significativas nesse período. Alguns sugerem que foi porque a opressão soviética impediu que sua mão tocasse os conceitos que ele ansiava expressar; outros pensam que talvez ele tenha entrado num longo período de aridez, depois de deparar com um paredão criativo na música de concerto contemporânea. Seja como for, quando Pärt finalmente voltou a compor em 1976, seu estilo musical havia mudado radicalmente, e essa alteração teria consequências formais enormes tanto para a música de concerto como para a música sacra nos últimos anos do século 20. Em suma, Pärt começou a compor no silêncio, por meio do silêncio e com o silêncio, mediante seu novo estilo pessoal, o *tintinnabuli*.

Nesse método único, Pärt utiliza os elementos mais simples para suas composições musicais; apenas duas formas melódicas: uma linha que repete harmonias tonais seja em arpejos ou em notas repetidas de um determinado acorde;

outra linha que se move num movimento que lembra degraus, movendo-se paulatinamente para cima ou para baixo, tendo cada nota uma duração surpreendentemente longa. Utilizando apenas esses dois elementos, Pärt cria paisagens musicais abertas que se desenvolvem lentamente, com frequência em torno de breves gestos musicais que somem no silencio e só ocasionalmente emergem dele de novo. Pärt explica seu estilo com suas próprias palavras:

> A tintinabulação é uma área pela qual eu às vezes perambulo em busca de respostas. [...] Aqui fico a sós com o silêncio. Descobri que, quando é belamente tocada, uma única nota é suficiente. Essa nota solitária, ou um compasso silencioso, ou um momento de silêncio, me conforta.[9]

A música ocidental é composta em torno da ideia de tema e variação. A maneira de expressar uma ideia por meio da música é conferir-lhe uma natureza temática e depois desenvolver seu tema aos poucos e usá-lo para orientar o avanço da narrativa. Todavia, em vez de presumir que mais expressão na arte conduz a mais entendimento, Pärt subverte essa convenção pressuposta, deliberadamente reprimindo afirmações e temas fortes. Quanto mais leve e moderada for a música de Pärt, tanto mais cada nova nota ou harmonia ganha significado para o ouvinte. É como se Pärt quisesse que nós, na condição de receptores de sua música, vigiássemos com ele, nos calássemos tornando-nos uma coisa só com a sensação de vazio no vácuo do silêncio. E quando a música é proferida nesse vácuo, conseguimos garantir, de uma forma que de outro jeito nos seria inacessível, presença e acompanhamento naquela música. Entrando no silêncio da música de Pärt, somos acompanhados pela presença divina.

Em seu livro sobre a teologia musical de Pärt, Bouteneff observa que uma estranha tendência foi notada nas pessoas que ouvem a música desse compositor: "Pessoas em situação de dor, pessoas em sua jornada rumo à morte, muitas vezes encontram uma curiosa qualidade *empática* na obra de Pärt: elas sentem que a música está sofrendo com elas".[10] Anotando relatos anedóticos bem como relatos amplamente divulgados, Bouteneff postula que "o relacionamento específico entre essa música e pessoas que estão em estados graves de sofrimento ou agonizando é constatado com frequência cada vez maior".[11] De certa forma a amplidão sonora nas composições de Pärt, que poderiam de outro modo parecer alienadas ou de outro mundo, abre espaço para uma participação na presença de Deus que não seria possível num som mais pleno, mais carregado. Bouteneff explica: "O mistério é que essa participação não para na tristeza: integrada nela, inextricavelmente entretecida nela, soa uma voz de genuína esperança".[12]

No âmago do próprio sofrimento, no iminente silêncio da morte, nos momentos mais inexplicáveis, paradoxalmente, a sensação de alívio, ou de esperança, sobrevém não por intermédio do esforço para preencher o vácuo, mas sim por intermédio do abraço do vazio desconhecido e da descoberta nele do Deus que nos ama e vem ao nosso encontro nas trevas.

Do luto ao amanhecer

Isso está de fato na própria essência do jejum: não uma negação pela negação, não um ódio de si mesmo ou uma desconfiança dos sentidos, mas, em vez disso, uma guinada que torna o encontro com o Cristo vivo — que entrou em nosso mundo e tornou-se parte de nossa vida, de nossas alegrias bem como de nossos sofrimentos — mais evidente.

Felizmente, a disciplina do jejum não é a última palavra sobre os nossos sentidos ou a participação em Jesus por intermédio do mundo que nos cerca. Como as águas do Batismo que nos submergem antes de nossa entrada no reino, como o véu da morte que precede a ressurreição, como a totalidade desta vida finita que precede nossa entrada na eternidade, o jejum é apenas o prelúdio. Poderíamos evocar as palavras do salmista no início deste capítulo e ouvi-las de novo: "O choro pode durar toda a noite, mas a alegria vem com o amanhecer".

Pois depois do jejum vem o banquete.

Exercícios sensoriais

- Reflita sobre uma ocasião em que você experimentou o "misterioso silêncio de Deus". O que o sustentou durante esse silêncio? Supondo que esse silêncio chegou ao fim, como você extraiu sentido dele ao continuar na prática de sua fé?
- Considere fazer uma experiência de jejum — de comida (levando em conta qualquer preocupação com a saúde), de mídia social, de socialização ou de alguma outra coisa. Determine seu início e seu término. Quais são seus sentimentos acerca de um experimento dessa natureza? Coloque por escrito o que está sentindo e depois ore junto a Deus pensando no que você escreveu.

8

VAMOS FAZER O BANQUETE

Celebrar a bondade de Deus nas refeições que compartilhamos

A menos que se aprenda a saborear
o Sábado ainda neste mundo, a menos que
se inicie na apreciação da vida eterna,
não se poderá desfrutar
o sabor da eternidade no mundo por vir.

ABRAHAM JOSHUA HESCHEL

A hora não se fazia tarde, mas a noite sombria começou a cair muito mais cedo do que eu havia previsto. Tendo chegado à Escócia apenas dois meses antes, não havia me dado conta em que medida a maior proximidade com o círculo ártico afetaria a luz durante o dia e com que rapidez as horas noturnas convergiriam nos últimos laivos de luz diurna enquanto o outono dava lugar às sombras do inverno. Na intensidade do meu estudo, o dia me havia ultrapassado mais rápido do que o suposto, e o azul de aço do exterior havia de repente assumido o tom profundo de safira polida. A hora não se fazia tarde, mas eu me atrasei. E o céu escurecendo só servia para acirrar meu mau humor.

A impaciência da frustração ia além de meu atraso; vinha embrulhada nos medos à espreita nos cantos de minha mente, nas crescentes incertezas que eu havia reprimido com muita desenvoltura durante semanas, mas que agora estavam convergindo sobre mim. Meses antes, havia tomado a decisão de largar minha vida nos Estados Unidos e mudar-me para uma pequena aldeia de pescadores, a mais de seis mil quilômetros de distância do outro lado do Atlântico, no litoral da Escócia, onde faria minha pós-graduação em teologia e artes. A aposta tinha sido alta, mas o influxo de novas informações, que eu parecia estar bebendo como que de uma mangueira de incêndio, tinha começado a me sobrecarregar. O que antes havia parecido certeza sobre a vida, o trabalho artístico e a teologia vinha sendo constantemente subvertido pela afluência de arrasadores sismos causados pela aquisição de novos conhecimentos. Eu contemplava fixamente o vácuo de minha incerteza enquanto me preparava para a primeira, real tentativa de chegar a algum lugar, escrevendo um ensaio; será que eu realmente tinha alguma coisa importante a dizer?

No fundo do coração, eu sabia que minha ansiedade nem sequer tinha de fato a ver com meu novo projeto de estudo; servia apenas para reforçar o motivo real de minha incerteza. Depois de anos constantemente procurando o caminho das oportunidades e vocações, intermitentemente abandonando a familiaridade de um determinado lugar e assentando meu mundo num lugar novo, desconhecido; depois de anos começando do zero numa nova comunidade depois de outra, simplesmente me sentia exausto. Mais uma vez eu dera um salto para o desconhecido, dessa vez indo além dos limites de minha nacionalidade para entrar num mundo muito além das fronteiras da vida que eu conhecia. Sentia-me suspenso no limbo do tempo entre o dia e a noite, entre o conhecido e o desconhecido. Tanta mudança e reorientação, muitas vezes caindo até o sopé da montanha da familiaridade, de lá contemplando o distante pico do pertencimento, perguntando-me se algum dia chegaria ao topo. Pensei na minha família, tão distante, celebrando sem mim o Dia de Ação de Graças, e senti o solavanco do medo abalando-me corpo e alma, o medo de estar perdido no agreste de mim mesmo, sem o litoral seguro do conhecido.

Felizmente, esses pensamentos sombrios foram interrompidos quando dei os últimos poucos passos no escuro rumo à casa de meu amigo, desvencilhando-me das sombras que me oprimiam. Quando entrei por aquela porta, o mundo se transformou.

— Você conseguiu! Que ótimo! — disse meu amigo enquanto eu espantava o frio e pendurava casaco. — Entre e beba alguma coisa. Não quisemos começar antes que você chegasse.

Desde o limiar daquela porta, um cheiro apetitoso me envolveu, e de repente as trevas começaram a se dissipar na irresistível fragrância que me puxava ainda mais para dentro. Antes de me dar conta, um copo cheio de cidra já estava na minha mão. Rolava a conversa entre meia dúzia de amigos reunidos na sala de visitas, e a intensidade de minhas preocupações e frustração prévias começou a se desfazer feito névoa. Logo nosso anfitrião, um colega transplantado dos Estados Unidos, fez tinir seu copo chamando nossa atenção e nos convidou cada um a ocupar o respectivo lugar à mesa. Juntos e reunidos, oramos e nos preparamos, e pela primeira vez naquela noite reconheci uma sensação fora do comum, uma sensação de pressentimento, mesmo não sendo eu capaz de identificar o que fosse.

Em poucos instantes, batatas doces fumegantes, purê de abóbora e diversos tipos de molhos apareceram como que por encanto sobre a mesa, cada prato deixando-me encantado e atiçando-me o apetite por aquilo que eu sabia que estava por vir, o prato principal de qualquer Dia de Ação de Graças: o peru. Achar um peru inteiro na Escócia não é tarefa fácil, e meu amigo tinha se superado indo além disso: untada com mel, a ave foi assada à perfeição no ponto, e cada fatia foi habilmente cortada. Percebi ali, numa súbita intuição, quanto trabalho havia sido investido naquele suntuoso banquete, e fui tomado de gratidão por aquilo que a maravilhosa comida diante de nós testemunhava. De imediato, travessas foram guarnecidas com cores laranja, verde e dourado, e os elementos de cada travessa foram distribuídos para cada um. Mais uma vez, senti o espírito de esperança crescer dentro de mim, como se alguma coisa que eu não conseguia exatamente enxergar, e que no entanto estava me esperando logo depois da esquina da noite, estivesse quase em cima de mim, alguma coisa que dissiparia minhas trevas e me chamaria de volta à luz.

Os primeiros bocados surpreenderam com sua maravilhosa combinação de especiarias, ervas aromáticas e tempero. À medida que o calor e o alimento começaram a me saciar, o coração começou a sentir-se à vontade, e antes que me desse conta disso já estávamos sorrindo, dando risadas e contando histórias. Logo passamos cada travessa ao redor da mesa para quem quisesse servir-se pela segunda vez, e depois pela terceira, e depois finalmente chegou a hora da sobremesa.

Enquanto sorvíamos um saboroso café *gourmet* comprado pelo nosso anfitrião exatamente para aquela noite e aguardávamos a doce complementação daquele nosso verdadeiro banquete, pensei na minha casa, na minha família reunida a milhares de quilômetros de distância. Meu coração desejava ardentemente estar com eles; e, no entanto, de certo modo para minha surpresa, a tristeza e o vazio que havia sentido antes ao pensar neles tinham sido desfeitos. Maravilhei-me comigo mesmo, até o momento em que olhei ao redor para as pessoas reunidas ali comigo, e enquanto contemplava a amizade e camaradagem nos olhos delas, senti o amor de minha família sendo expresso por meio de cada uma. Em nossa refeição compartilhada, eu tinha de certo modo recuperado a lembrança da bondade de que havia sentido falta, na participação com cada uma delas.

Finalmente, compreendi: era isso que meu coração havia pressentido. *Era para isso que eu tinha sido criado*: para a comunidade e a comunhão, para a alegria do banquete. Cada bocado me havia reintegrado à lembrança das pessoas que me amavam e à afeição das que estavam ali reunidas, evidenciada em seu companheirismo compartilhado. Cada degustação de um novo sabor me remetia àquela verdade e me enraizava no conforto dessa noção. Na alegria do banquete, eu trouxe o desbotado passado de minha família, amigos e comunidade para o presente dos que estavam à mesa comigo, reencontrando a essência do pertencimento por intermédio da bondade deles. O banquete que compartilhamos tornou-se o sinal de nosso amor mútuo, a alegria daquela comunhão.

Isso acontece porque o banquete está no âmago de toda a história de Deus, e bem no meio dela está o convite para a comunhão.

A história que alimenta

No princípio, houve um jardim; e no fim de todo o tempo, haverá um banquete nupcial; exatamente no centro da história também há uma refeição: o alimento é o pão e o vinho dados numa forma corporal para a salvação do mundo inteiro.

Em cada capítulo da história da criação (a queda, a salvação e a restauração), o amor e a bondade de Deus transbordam na plenitude do alimento, que nos é dado. De certo modo, a celebração do banquete resume toda a convicção deste livro, a essência de cada curva e contracurva de nossa jornada por intermédio dos sentidos: a vida para a qual somos chamados em Cristo não é uma vida de mera observação, de contemplação e crença, mas é antes uma vida de participação, de aceitação de Jesus em nós mesmos e de permissão para que ele nos transforme e transfigure de dentro para fora. O que é mais importante acerca de nossa fé não é aquilo em que acreditamos; Deus não nos concedeu simplesmente a ideia de si mesmo para que o contemplemos; pelo contrário, deu-nos sua pessoa real e encarnada, para ser conhecido e amado e procurado num relacionamento. O que é mais importante para nós é aquilo de que participamos, aquilo que transformamos em parte de nós.

O sangue vital do banquete na vida cristã flui da refeição no centro de nosso culto, uma refeição que em si mesma resume o impulso da história da salvação desde o início: da árvore da vida no Éden, doada para que aqueles que foram criados à imagem dele possam participar de sua vida; ao maná doado aos israelitas no deserto, sustentando-os e fortalecendo-os em sua longa caminhada; à vida do próprio Jesus, expressa na abundância de peixes e pães, a simbólica potência do pão e vinho, e o radical sacrifício de si mesmo de corpo e sangue. Em cada passagem da Escritura, cada meandro da história de Deus aponta para uma verdade singular: Deus é quem instituiu o banquete, e a comida que ele serve é seu próprio ser, por meio de Jesus. Na participação da Ceia do Cordeiro, expressamos, com todos os que nos precederam no decurso da história da igreja, que nossa própria força vital vem do Deus que vive em nós e por meio de nós, que se doou como o alimento que nós, retribuindo em ação de graças, oferecemos a ele.

Isso não apenas nos reintegra em nossa vocação nesta era, como também nos revela nosso futuro na que está por vir. A que estamos destinados? Todas as vezes que participamos da Ceia do Senhor, declaramos isso com nossas ações: não estamos apenas destinados a ser recolocados na presença de Deus; estamos também destinados a participar de sua vida eterna por meio dele e nele.

Muitas das grandes formulações do cristianismo expressam esse significado da Comunhão. A reformada Confissão de Fé de Westminster declara: "O fim principal do homem é glorificar Deus, e dele *desfrutar* eternamente".[1] A Igreja Ortodoxa da América declara: "O homem, segundo a Escritura, foi criado 'à semelhança de Deus' (Gn 1.26-27). Ser semelhante a Deus, por meio da dádiva de Deus, é a essência do ser e da vida do homem".[2] O catecismo católico romano cita Agostinho dizendo: "O homem foi criado para viver em comunhão com Deus em quem ele encontra a felicidade: Quando estou completamente unido a ti, já não haverá sofrimento ou provações; inteiramente repleto de ti, minha vida será completa".[3] Em cada uma dessas arrebatadoras declarações há uma unidade de pensamento singular: o genuíno propósito para o qual fomos criados, a vocação inserida na própria constituição da natureza humana, é participarmos da vida de Deus. O propósito da vida humana é participar de Deus, tornando-nos um com ele.

Como devemos pensar sobre essa comunhão? Como deveríamos participar do banquete de Deus? Proponho que façamos uma viagem, observando a finalidade de nossas refeições diárias, sem perder de vista o centro exato do louvor cristão, da refeição à mesa da Comunhão. Na Comunhão, o tempo converge sobre si mesmo, e o banquete junta ambas nossa *lembrança* e nossa *antecipação* na disposição de *receber* de nosso Deus bondoso a plenitude da alegria. Nossos banquetes fora do culto são ecos do banquete no âmago do culto de adoração.

Os primeiros cristãos expressaram isso em seus primeiros ritos sacramentais como comunidade. Antes que a Eucaristia se tornasse um rito separado, ela foi primeiro parte da *festa do amor*, o ágape (termo que indicava uma forma exemplar de amor originado em Deus), uma alegre refeição comunitária compartilhada por toda a comunidade cristã. A celebração da Ceia do Senhor, o rito no centro exato da adoração ordenada pelo próprio Jesus, era visto como emergindo desse espírito do banquete. E embora o sacramento da Comunhão passasse logo a ser formalizado, esse espírito sempre esteve no âmago da teologia eucarística. Nenhuma experiência de comer comunitariamente jamais foi realmente isenta da persistente presença do fundador de todos os nossos banquetes, o Deus da abundância, que nunca oferece uma pedra quando seus filhos pedem pão (Mt 7.9). Em cada seção de nossa ponderação sobre o banquete — *lembrar*, *antecipar* e *receber* — ponderaremos a vida infundida quando nos alimentamos dessas maneiras e depois conectaremos isso com a glória presente na refeição das refeições, o banquete que sacramentalmente resume todos os nossos banquetes, a mesa da Comunhão em si mesma.

Antes de começarmos com o banquete em si, todavia, iniciamos com o convite da fragrância. Entre todos os sentidos, o aroma e o sabor guardam uma relação interativa única; eles trabalham em conjunto, do momento da primeira onda de cheiro da refeição preparada até a concreta participação dela. Eles se reforçam mutuamente, cada um estimulando o outro para a grandeza presente no banquete. O convite para o banquete, a sensação que nos conscientiza da refeição e nos tira da passividade para a ação, é o aroma em si, como o mensageiro que nos traz uma boa notícia.

Chamados pelo aroma

O primeiro som do clarim chamando para o banquete é seu aroma. Antes de vermos a refeição e suas diversas iguarias, antes de provarmos o sabor e degustarmos cada bocado, somos recebidos por um cheiro. Mesmo se estivermos longe, o cheiro chega até nós, procurando-nos feito um mensageiro.

O cheiro do banquete é o que nos alerta para sua excelência e nos tira da passividade induzindo-nos à ação. O aroma não se limita a nos dar uma noção alternativa para o que quer que seja que prendeu nossa atenção num determinado momento; mais que isso, ele captura nosso desejo, nos tira de nosso torpor. Quando recebemos a fragrância do banquete, alguma coisa dentro de nós ganha vida. Já não desejamos simplesmente permanecer onde estamos; sentimos, em vez disso, que devemos dar alguma resposta a esse chamado. O cheiro é o *convite*, o chamado para uma *vocação*. O ócio das mãos e do coração ganha um propósito: o de virem e começarem a trabalhar na celebração que se apresenta. O aroma nos chama para vir e participar do banquete.

O aroma é o estopim de nossos anseios; ele os prepara sacudindo e despertando os sentidos para a vida, levando--os a uma conscientização e expectativa. É o primeiro sinal de que o banquete não é simplesmente um ato utilitário de necessidade; é antes uma participação em algo atraente e desejável, algo que responde a um desejo plantado em nós.

Nossa capacidade de perceber pelo olfato é também o que nos permite saber se a refeição para a qual fomos convidados é fresca e sadia ou se ela contém algo estragado, algo que pode nos nausear ou fazer mal. O cheiro nos ajuda a distinguir o bom banquete do banquete ruim; aquilo que nos restaura, deleita e satisfaz daquilo que nos causará enjoo ou até mesmo nos trará aflição. Muitas expressões idiomáticas dão crédito ao papel do cheiro no processo de uma avaliação preliminar. Quando queremos dizer que alguém tem uma propensão natural, inata para uma dada carreira, dizemos que *essa pessoa tem um faro para a coisa*; quando queremos mostrar para determinada pessoa a importância de confiar em seu instinto, nós a aconselhamos a *guiar-se pelo faro*. Até a frase mais simples e autoexplicativa comunica isso: *Esse caso não me cheira bem*.

Assim como todas as refeições de certo modo refletem a maravilha do banquete eucarístico (como logo descobriremos), o mesmo acontece com o aroma que na vida do dia a dia reverbera com a mesma vibração como o aroma que nos prepara para a adoração. A própria Escritura alude à maneira pela qual nosso louvor funciona como um prelúdio automático de nossa comunicação com Deus. Como já vimos, o salmista roga a Deus pedindo que sua oferta de louvor seja recebida como um fragrante aroma: "Aceita minha oração, como incenso oferecido a ti, e minhas mãos levantadas, como oferta da tarde" (Sl 141.2). Nesse caso, é o salmista que oferece louvor a Deus. O aroma do banquete é a rememoração da bondade divina por intermédio de Cristo, manifestada de novo; sua agradável fragrância é um sedutor convite a deixarmos nossos assentos para nos dirigirmos à mesa, onde o banquete dele foi preparado para nós.

É nessa rememoração que o cheiro provoca seu mais poderoso encantamento. Talvez o mais fundamental papel da fragrância seja a maneira como ela desperta a memória. Alguns estudos psicológicos demonstraram que o olfato talvez seja, de todos os sentidos, o mais associado com a memória, o mais conectado com a lembrança de acontecimentos passados. Quando sentimos o cheiro de uma boa refeição, somos de repente transportados; nossa memória daquela mesma comida, compartilhada no passado com amigos ou a família, é reanimada e ganha vida, como que trazendo o passado para o momento presente. O cheiro é caminho que transpõe o imutável muro do passado; como se passasse por um buraco de minhoca no tempo, os incontáveis segundos, minutos, horas e dias se transformam como se não fossem absolutamente nada, como se o amor cristalizado nas lembranças do passado de repente se derramasse no momento atual.

Deixando que a lembrança de novo se restaure por intermédio da fragrância, nós também, mesmo que de modo inconsciente, somos tomados por um fogo interior de expectativa. Quando alguém percebe a renovação do banquete em seu próprio tempo e espaço, o banquete planta nessa pessoa uma conscientização de que aquilo que estava exclusivamente preso no passado é liberado no aqui e agora. E, ao mesmo tempo, esse momento em si pode de fato algum dia vir a ser um passado que é arrastado para um presente futuro. É como se toda a sequência de muitos retornos e muitas partidas para a mesa e da mesa, no passado e no futuro, estivessem alinhados com esse momento, um momento que expressa a esperança do que um dia virá a ser, mas que já está sendo agora.

Ao convite do aroma, que nos chama durante nossa quietude e silêncio, nós abandonamos o tempo da vida cotidiana e entramos no tempo sagrado, um tempo de banquete, quando o passado e o futuro se aproximam do momento presente da refeição diante de nós. E, no entanto, o tempo do banquete não é na verdade nem passado, nem presente, mas em vez disso ele catalisa ambos para transformar a experiência do presente. De repente, o presente, o ponto imóvel do "agora" que tão rápido foge de nosso alcance, começa a expandir-se de modo inexplicável, e assim aquilo que está contido nos momentos fugidios de companheirismo à mesa contém uma plenitude que vai muito além dos limites do possível.

O aroma inicia essa entrada no tempo do banquete, e esse tempo é trazido para a plenitude da vida por meio de nossa subsequente apresentação à mesa, onde consumamos o convite do aroma na participação do próprio banquete.

Banquetear-se para relembrar

Uma das mais antigas tradições em minha família é nossa anual "refeição do pastor", celebrada na noite de Natal. Como a refeição que os pastores no campo talvez tenham desfrutado na noite do nascimento de Cristo, nós compartilhamos uma mesa simples, composta de elementos modestos e substanciosos. Preparamos uma variedade de nozes, queijos e frutas, juntamente com pão quentinho recém-saído do forno e uma sopa de batatas feita na hora. Quando levamos toda essa abundância para a mesa e nos reunimos em torno dela, acendemos as velas e entramos na simplicidade da história lendo o segundo capítulo de Lucas, que narra como os pastores receberam de anjos a mensagem do nascimento de Cristo.

Em nossa refeição do pastor, comemos para nos situar no meio da história. Cada ano, a nutrição de uma refeição simples que celebramos muitas vezes ao longo da vida se tornou inextricavelmente entretecida na história dos próprios pastores, habituados a desempenhar silenciosamente suas tarefas pastorais rotineiras, dia após dia. Como eles, permitimos que nosso coração seja marcado pela bondade modesta de uma refeição noturna compartilhada e deixamos que essa postura nos prepare para a participação do assombro e maravilha ante o milagre da visitação angelical. Da preparação familiar à colocação da mesa, ao afetuoso companheirismo e desfrute do banquete, à leitura da Escritura, a refeição do pastor se transforma em nossa representação, nossa maneira de voltar à postura de humilde participação que aquela refeição engendrou em nós com o passar dos anos, e isso sempre renovamos repetidamente ano após ano. E quando compartilhamos os alimentos colocados à nossa frente sobre a mesa, nós nos apropriamos daquela história, convidando-a a tornar-se parte de nós, para nos nutrir de dentro para fora. Ela faz mais do que nos lembrar da história; ela a torna de novo fresquinha e nova. No banquete, somos convidados a *relembrar*.

Quando comemos à mesa, estamos, essencialmente, retornando: retornando para sermos nutridos e retornando para o companheirismo. Retornamos porque precisamos; admitimos que não sabemos sobreviver sozinhos, que precisamos da comida que repõe nossa energia e nos restaura a vitalidade. A mesa funciona como um lugar de reunião onde nos lembramos de nossa necessidade e admitimos que precisamos buscar a solução para aquela necessidade fora de nós mesmos. E da mesma forma, quando nos reunimos em volta da mesa, todos os que estão reunidos comem da mesma comida, declarando, ainda que tacitamente, que essa necessidade é universal, e nós somos unificados em nosso pertencimento a essa mesa por meio desse ciclo de partidas e retornos. A mesa nos chama de volta ao nosso pertencimento, o espaço em que somos unificados mediante a participação de uma refeição juntos.

A rememoração é o primeiro e mais fundamental papel da celebração do banquete na tradição cristã, e isso está inscrito nas primeiras declarações que Jesus faz acerca da refeição de sua própria mesa. Na Última Ceia, enquanto Jesus se prepara para enfrentar os momentos finais de sua vida, ele oferece uma refeição a seus discípulos no cenáculo como um memorial, um sinal vivo que, embora eles ainda não o entendam, depois da crucificação se tornará um indelével, tangível ponto de retorno para eles participarem do amor dele oferecido completamente na cruz. Jesus sabe que os discípulos vieram para essa mesa da Páscoa para rememorar a fidelidade de Deus para com seu povo, libertando-o da opressão do Egito e guiando-o em sua jornada rumo à Terra Prometida. Agora, Jesus está transformando aquele ato de rememoração a fim de que para todo o sempre os discípulos — e todos os que se tornarão discípulos de Jesus depois disso — venham a participar da refeição como um ato de recordação do próprio Jesus. "Tomou o pão e agradeceu a Deus. Depois, partiu-o e o deu aos discípulos, dizendo: 'Este é o meu corpo, entregue por vocês. Façam isto em memória de mim'" (Lc 22.19).

Exatamente como foi para os discípulos há muitos séculos, o sinal de nossa fidelidade hoje não é comprometer-nos com novas ideias, novos sentimentos acerca de Deus, mas é antes retornar para os sinais da fidelidade dele oferecidos logo no início e participar deles, chamar o passado para o presente de nossa vida e mostrá-lo no aqui e agora. Quando comemos à

Mesa do Senhor, quando ingerimos os elementos do pão e do vinho, em certo sentido permitimos que aquele momento no cenáculo ganhe vida de novo, tornando-se real para nós em nossa época, por meio de nosso corpo.

O Livro de Oração Comum anglicano articula vigorosamente essa ideia numa passagem de sua liturgia da oração matinal que é usada em algumas igrejas em ocasiões festivas como parte da liturgia eucarística: "Aleluia. Cristo, nosso Cordeiro Pascal, foi sacrificado em nosso favor;* portanto, celebremos o banquete".[4] O espírito desse banquete eucarístico não se restringe apenas aos limites convencionais da Comunhão de um domingo comum; ele de fato flui em cada dia todos os dias.

Pois o que nos é dado à Mesa do Senhor não é uma ação única que realiza seu fim proposto para todo o sempre. A alma, como o corpo, deve retornar à Mesa, pois estamos propensos a esquecer, propensos a ficar magros e fracos quanto mais tempo permanecermos longe daquele em quem temos vida em abundância. A fome de restauração, de cura, de nutrição nos leva de volta à Mesa do Senhor, o espaço onde somos sensivelmente chamados de volta para a graça que nos sustenta. Quando comemos à mesa da Comunhão, retornamos à fonte de nosso ser, lembrando que foi somente por meio da presença de Jesus *em nós* que fomos restaurados para uma vida nova; quando comemos o pão e bebemos do cálice, o sabor daquela breve refeição entra em nós e nos chama de volta àquela presença interior.

Com o passar do tempo, esse convite a rememorar instila em nós não apenas uma lembrança do passado no aqui e agora, mas também uma visada análoga para a futura reconciliação de toda vida em Cristo, quando todos nos banquetearemos à Mesa do Cordeiro.

Banquetear-se para antever

Em seu delicioso livro *The Supper of the Lamb: A Culinary Reflection* [A ceia do Cordeiro: Uma reflexão culinária], Robert Farrar Capon, um sacerdote episcopaliano e aspirante a chefe de cozinha, compartilhou seu amor pelo ofício de cozinheiro entremeando receitas e dicas de hospitalidade com suas próprias reflexões teológicas sobre a espiritualidade da alimentação. Bem quando o leitor pensa que Capon está explicando os segredos para ele conseguir preparar direito um determinado prato, de repente percebe que está sendo conduzido por meio do uso de água no cozimento como uma vibrante analogia da pureza celestial, ou a maneira pela qual o anfitrião atua como um sacerdote de sua casa, mediando a graça por meio de sua hospitalidade. O livro está recheado de intenso humor e surpreendente pungência, sensações frequentemente emparelhadas e opostas.

O último capítulo do livro capta isso muito bem, quando Capon de modo bastante hilário trata do delicado assunto da azia, aquela desagradável ardência no esôfago que pode ocorrer até mesmo nos melhores banquetes. Depois de longo discurso sobre os méritos de remédios potenciais, Capon de repente muda para aquilo que ele denomina "a maior aflição para a qual a terra não oferece cura — esse maior, mais vasto ardor faz o coração olhar atônito para o mundo e, tomado de amor, de imediato desperta e fica alerta".[5] Trata-se, diz Capon, de uma espécie de fogo interior para o qual não existe cura neste mundo, um fogo que só pode ser extinto por algo fora do alcance dele; uma "inconsolável azia". Esse é, como sugere o autor, o exato propósito do desejo de comer: "Fomos dotados de apetites, não para consumir o mundo e esquecer-nos dele, mas sim para provar sua bondade e ansiar por torná-la grande".[6]

Comemos porque precisamos, é verdade, e o retorno à mesa para a nutrição nunca pode ser separado de nossa participação numa refeição. E, no entanto, a essência do banquete tem a ver com algo mais que a mera sobrevivência; está mais envolvida com o prazer, com a vibrante excelência de gostos deliciosos e sabores que intensificam os sentidos e nos tornam mais conscientes das coisas boas presentes em nossa vida. Quando saboreamos uma refeição bem preparada, aceitamos ser entretecidos na sempre crescente vida da própria criação mediante o compartilhamento de seus produtos, a genuína fonte da refeição da qual participamos. Permitimos que a glória da criação se torne nossa glória, e permitimos que seu desejo de completude se manifeste também em nós. O grande paradoxo do banquete é que tão logo o prazer de uma excelente refeição estimulou nossas papilas gustativas, ele começa a diminuir. A maravilha e o prazer do paladar, em que se encontra uma imensurável expressão de prazer e transcendência, são conhecidos apenas nos mais fugazes momentos que despertam nosso desejo de retornar a ele assim que ele estiver no passado. Assim, o prazer de uma refeição está naquilo que ela deixa sem resposta, insatisfeito. Banquetear-se significa acionar o desejo, intensificá-lo. O banquete aviva em nós uma fome de completude do prazer que agora recebemos apenas em parte. Ele nos proporciona uma amostra do banquete por vir, quando as pessoas "nunca mais terão fome, nem sede", como nos diz Apocalipse 7.16.

Essa antecipação presente em nossos banquetes cotidianos também está presente na mesa de Cristo. Em algumas fórmulas da liturgia católica, ao levantar os elementos da Eucaristia perante a congregação reunida, o sacerdote pronuncia as palavras: "Eis o Cordeiro de Deus, eis o que tira os pecados do mundo. Felizes os convidados para o banquete do Cordeiro".[7] Embora seja claro com base na liturgia que o texto está se referindo ao aqui e agora do momento em que a congregação participará da refeição da mesa da Comunhão, a fonte do texto confere às palavras uma surpreendente ressonância adicional. Elas provêm de Apocalipse, em que João fala da completude dos tempos, quando o povo de Deus se reunirá no banquete nupcial de Cristo no céu: "E o anjo me disse: 'Escreva isto: Felizes os que são convidados para o banquete de casamento do Cordeiro'" (Ap 19.9). Usando esse versículo como a base para a participação da Ceia do Senhor, essa liturgia impregna a Comunhão com uma sensibilidade *escatológica*, uma sensibilidade que antecipa o fim dos tempos e a restauração de todas as coisas. Ela enuncia que nossa participação na Comunhão não é apenas uma rememoração, mas também uma expectativa; uma antecipação do tempo em que nossa alegria no banquete já não é fugaz; ela se torna completa.

E nossa participação no banquete, a rememoração do que nos chama de volta à mesa bem como a antecipação do que ela prenuncia, se baseia inteiramente em uma coisa, uma única coisa apenas: que nós somos convidados em virtude da abundância de Deus, não mediante nossa capacidade de levar qualquer coisa à mesa, mas sim mediante nossa disposição de receber de mãos abertas.

Banquetear-se para receber

Em seu poema "Amor", o poeta devocional do século 17 George Herbert se imagina como um pobre e despreparado hóspede que fez uma longa viagem e finalmente chegou à casa de Amor. Sendo o último poema da coleção cristã *O templo* desse poeta, que faz um exame poético da jornada de cada cristão ao longo da vida com Deus, esse poema se destaca ainda mais como a expressão do enraizado sentimento de indignidade; como até mesmo depois do trabalho de uma vida inteira buscando Deus, a alma do cristão continua "culpada de pó e pecado". Enquanto ele se detém diante do precipício do limiar que dá acesso à casa onde Deus preparou seu banquete comemorativo, a disposição de Amor é ainda mais impressionante considerando-se quão pouco o cristão tem a oferecer e quão profunda é a bondade de Amor apesar de tudo:

> Amor me acolheu; mas minh'alma se retraiu,
> Culpada de pó e pecado.
> Mas atento Amor meu receio viu,
> Desde quando havia eu chegado,
> E de mim se acercou, e docemente me perguntava
> Se a mim alguma coisa faltava.[8]

Observe como, no movimento descrito no poema, é sempre o visitante que se retrai da bondade de Amor e como, mesmo apesar dessa retração, Amor ainda "de mim se acercou". Amor sempre se movimenta para trazer os alquebrados e imperfeitos para junto de si. A segunda estrofe torna esse contraste de movimentos ainda mais explícito:

> Um hóspede, respondi, digno de estar aqui.
> Esse deves ser tu, disse Amor.
> Eu, descortês, ingrato? Sobre ti,
> Ah, meu caro, nem posso os olhos pôr.

Amor tomou-me a mão e sorrindo respondeu:
Quem fez os olhos senão eu?[9]

Nessa segunda troca de ideias, o visitante mais uma vez reitera sua objeção de não ser digno de estar presente ali. Diante disso, Amor intensifica e desenvolve sua busca do visitante, não apenas trazendo-o para mais perto de si, mas também entrando em contato com ele, segurando a mão do hóspede indigno. Finalmente, o visitante começa a ceder, mas não antes de uma derradeira indagação de Amor:

Verdade, Senhor, mas os maculei: envergonhado estou;
Para o lugar que mereço deixa-me ir.
E tu não sabes, disse Amor, quem a culpa carregou?
Meu caro, então eu vou servir.
Senta-te e prova de minha carne, diz Amor.
Então me sentei e comi com ardor.[10]

Amor finalmente revela a verdade de sua busca. Ele pretende doar-se a si mesmo como o banquete que justifica a presença do visitante na casa de Amor. Amor, que se aproximou da alma indigna, depois impôs naquela alma suas mãos de graça, agora lhe oferece o alimento da transformação, para que aquilo que Amor declarou se torne manifesto. Enquanto a alma indigna come, o alimento de Amor se mescla com a própria essência dela, transformando-a e deixando-a nova de novo.

Herbert resume como no fim a beleza do banquete não está em nosso estado de preparação mas no fato de que Deus preparou a mesa para pecadores, para desajustados, para os dignos bem como para os indignos. Todos são bem-vindos, não porque eles fizeram por merecer o banquete, mas porque Deus os tornou dignos por meio de seu abundante, transbordante amor, um amor que não conhece escassez ou limite. No próprio centro da mesa está o banquete de amor que Deus preparou para nós, o alimento de si mesmo que nos foi dado plenamente, sem nenhuma restrição. Como diz Herbert de forma muito elegante, o medo que sentimos ao nos aproximarmos da Mesa do Senhor está em nós mesmos; somos nós que levantamos objeções à nossa presença no banquete. O que esquecemos é que "Ele nos criou e a ele pertencemos" (Sl 100.3); onde vemos imperfeições, Deus vê a beleza da obra de suas mãos.

O poema nos lembra que não é por meio de nossos esforços, nosso empobrecido senso de valor, que nos tornamos dignos de nos aproximar da mesa. Nada podemos fazer para provar a Deus que de algum modo satisfizemos os padrões de perfeição exigidos para dele nos aproximar. O sacramento do Senhor oferecido à sua mesa, como todos os sacramentos e como todo o mundo sacramental que ele criou e por meio do qual ele nos procura, nos é dado como pura dádiva, fluindo do amor e graça infinitos de sua própria essência divina. Muitas tradições incluem uma confissão coletiva prévia à participação à mesa; embora possa parecer que uma confissão funciona como um ato que nos proporciona o direito de nos considerarmos dignos, o que acontece é exatamente o contrário; na confissão, nós radicalmente abrimos mão dos pecados aos quais nos agarramos com muita força, deixando-os deliberadamente aos pés da cruz. A cruz é o limiar da casa para a qual nosso coração foi criado, e quando ultrapassamos esse limiar confessamos que nos esvaziamos a nós mesmos e estamos prontos para receber a dádiva de Cristo. Isso significa que devemos abandonar e nos abster de alimentos que deturpam nosso apetite exclusivo por Jesus, que nos fazem sentir que não somos dignos ou que, pelo contrário, nos fazem acreditar que merecemos nosso lugar à mesa. A confissão nos ajuda a descartar tanto o alimento que satisfaz nossa hipocrisia quanto o perigoso alimento do desespero. Confessar não é apenas admitir que algo está errado; é também declarar que algo está certo. Confessar é proclamar que nos esvaziamos de tudo, de nossos pecados e de nossos méritos, e que só estamos com fome de Deus. Estar pronto para participar de uma refeição significa começar com um estômago vazio, preparado por meio da fome para ser satisfeito. Essa é a única maneira de receber o banquete, de aceitar essa radical postura de recepção, esvaziando-nos de tudo aquilo que tão facilmente nos complica, a fim de que possamos receber a plenitude de Jesus.

Seguidores de muitas tradições cristãs, inclusive metodistas, presbiterianos, anglicanos e católicos, fazem uso de uma oração antes da comunhão intitulada Oração de Humilde Acesso, que verbaliza essa postura da recepção:

> Não ousamos aproximar-nos da tua mesa, clementíssimo Senhor, confiados na nossa retidão, mas somente na tua infinita misericórdia. Não somos dignos sequer das migalhas caídas da tua mesa; mas és tu, Senhor, quem nos convidas e é da tua natureza ter sempre compaixão. Concede-nos, pois, bondoso Pai, que nos alimentemos do Corpo e Sangue de teu bendito Filho, para permanecermos sempre n'ele, e ele em nós. Amém.[11]

Os termos da Oração de Humilde Acesso ajudam a situar-nos, como participantes da mesa da comunhão, numa predisposta postura de recepção, como um desamparado filhote de passarinho, de boca aberta e totalmente dependente do mérito daquele que lhe traz o alimento. Confiamos na eterna misericórdia divina e dela dependemos, e transformamos essa entrega na convicção da certeza daquela misericórdia. E por meio dessa renúncia pessoal, somos introduzidos na misteriosa vida nova de Cristo *em* nós, que Paulo nos diz tão maravilhosamente ser "a esperança da glória" (Cl 1.27, NVI). É essa habitação que resume o banquete — e verdadeiramente, todo o nosso encontro de Jesus por intermédio dos sentidos.

O grande convite

No fim da vida, o grande teólogo medieval Tomás de Aquino, que havia escrito algumas das mais profundamente magistrais obras de cunho teológico da história da igreja, teve uma visão de Jesus em sua glória celestial. Após a visão, ele depôs sua pena e nunca mais voltou a usá-la. Morreu logo em seguida, deixando sua grande obra, a *Summa Theologica*, inacabada. Quando seu assistente lhe perguntou exaltado por que ele não continuava a escrever, Tomás simplesmente respondeu: "Tudo o que escrevi me parece nada mais que palha — comparado àquilo que vi e me foi revelado".[12]

Talvez pudéssemos ver a ação de Tomás como uma atitude de desespero, percebendo ele a insuficiência até mesmo das maiores realizações humanas para se aproximar da natureza infinita da profunda glória de Deus. Mas e se o caso fosse exatamente o contrário? E se, em vez de desespero, Tomás houvesse recebido uma infusão tão intensa da graça da bela presença de Cristo que os esforços inferiores de sua vida terrena estavam dando lugar à participação na alegria eterna do amor de Cristo por ele? Quando se está em comunhão com Cristo, todo o resto se esvai, e permanece apenas o dom da vida e abundância eternas.

Esse é o espírito do banquete: que em Jesus nós recebemos um convite de participação. Já não precisamos esperar à distância, tentando entender, capturando algum senso de certeza e conhecimento. Em Jesus nos é oferecido o verdadeiro alimento e a verdadeira bebida, sustento que nos restaura, corpo e alma. Temos diante de nós uma refeição que nutre nossas necessidades mais evidentes, estimula o apetite pelo que é bom, verdadeiro e belo e atiça o desejo de uma comunhão plena. E essa refeição é servida livremente a todos os que estão dispostos a recebê-la generosamente como uma dádiva.

O espírito do banquete é o efeito cumulativo de todo este livro: Deus se doou a si mesmo num suntuoso banquete por meio de Cristo, deixando sua vida ilimitada extravasar-se em nosso mundo e nos afetar em cada encontro de nossos sentidos. No âmago da graça superabundante está a expressão da dádiva, de que tudo nos é dado livremente. Deus não nos sonega nada, e tudo o que precisamos fazer é receber. Todas as rotinas expressas neste livro, todas as atividades ou posturas ou disposições, nos são apresentadas reunidas numa suntuosa e abundante refeição, convidando-nos a comparecer e cear. Cada sentido é um ingrediente da generosa refeição da vida divina que nos é servida, e juntos todos esses elementos compõem a totalidade da refeição mais bem preparada para a qual somos convidados.

Da mesa da Comunhão, onde encontramos o mistério de Jesus e nele participamos, à mesa do universo inteiro, na qual Jesus nos oferece a abundância de sua presença em todas as coisas e por meio de cada encontro com nossos sentidos, o mundo inteiro é um grande convite para participarmos da vida infinita de Deus. A questão que permanece é simples: Você aceita cear à mesa do Senhor? Você vai participar?

Exercícios sensoriais

- Que aromas você associa com sua infância? Com que clareza se lembra deles? Que memórias estão conectadas com esses aromas?
- Com que se parece o "cheiro" de sua fé? Com a água-de-colônia ou o perfume das pessoas ao seu lado durante o culto? Com o incenso ou alguma outra fragrância usada no serviço religioso? Com o cheiro de uma refeição compartilhada com um pequeno grupo de amigos? Como você percebe esses aromas moldando a prática de sua fé?
- Quando foi a última vez que você participou de um banquete em nome do Senhor? Quem estava presente? Qual foi o cardápio? Que mais você fez além de comer? Quando você pode fazer isso de novo?

EPÍLOGO

A dança que encena a vida

A madeira do assoalho cansado estralava e gemia sob o peso de muitos pés reunidos na multidão alvoroçada e misturada. Amigos e estranhos compartilhavam sorrisos e risadas, muito próximos e trombando sem cerimônias uns nos outros à medida que a agitação do tropel crescia. Bem quando tive certeza de que o salão estava completamente lotado e barulhento ao máximo, um som, uma voz se fez ouvir em meio ao vozerio.

— Senhoras e senhores, chegou a hora esperada por todos nós! Por favor, abram espaço no salão, enlacem os braços com quem está à esquerda e com quem está à direita e formem um grande círculo!

Fervilhou uma explosão de risos enquanto a massa humana começou a se deslocar. Num breve espaço de tempo, estranhos tornaram-se amigos e enlaçaram os braços com qualquer corpo em movimento, até que no piso do salão se abriu um vasto mar de espaço sem dono.

Havia começado a *ceilidh*.

Fazia apenas umas semanas que eu tinha chegado à Escócia para estudar teologia na ancestral Universidade de St. Andrews. Mas graças a rumores sussurrados em conversas com amigos eu tinha ciência de que não demoraria muito para me ver envolvido numa *ceilidh*, tradicional reunião comunitária cheia de música animada, vibrantes contadores de histórias e, o mais importante de tudo, *dança*. Minhas expectativas eram grandes, e eu estava querendo muito desfrutar da diversão. Mas agora, no meio daquilo tudo, sentia a inibição crescendo dentro de mim. Tudo era novo e desconhecido, e enquanto todo mundo parecia saber o que fazer, eu me apanhei sentindo-me totalmente alheio àquilo tudo.

A multidão moveu-se ondulante, mas recuei buscando a segurança da parede, de onde podia observar o festejo à distância. Corri os olhos pelo salão à procura de um rosto conhecido para me salvar do embaraço de minha vigília às margens da pista de dança. Meus olhos acabaram descobrindo um rosto familiar. Meu amigo me encarou e abriu um enorme sorriso, gesticulando entusiasmado para que eu entrasse na brincadeira. Recusei-me sacudindo a cabeça e sorrindo. Tentei dar a impressão de sentir-me à vontade, apenas mais um rosto desfrutando da noitada. Mas na minha cabeça eu ouvia: *Não posso entrar nessa brincadeira. Não conheço os passos da dança.*

De algum ponto vagamente na mesma direção de onde antes eu tinha ouvido o anunciante, uma sanfona explodiu numa animada jiga, e a voz disparou vigorosa acima da melodia.

— Senhoras e Senhores, o Círculo Circassiano!

De repente, pés começaram a se mover no mesmo ritmo, rumo ao centro, e depois afastando-se e abrindo mais uma vez um amplo espaço. Primeiro levantaram-se as mulheres; três passos firmes rumo ao centro, um entusiástico bater de palmas e depois um recuo de novo. Agora era a vez dos homens; eles avançaram gritando e batendo palmas, e depois, também voltaram para seus lugares no grande círculo de frente para suas parceiras. Primeiro, movimentos galhofeiros para a frente e para trás, e em seguida dezenas de casais girando e rodopiando de braços entrelaçados, feito piões sobre uma mesa.

E depois, com a mesma rapidez, cada qual estava de novo formando um círculo, movendo-se alguns passos para a frente para começar de novo.

Consultei distraidamente o relógio; apenas um minuto havia passado. Suspirei tentando me acalmar e curtir aquelas frivolidades. Decidi esperar que terminassem mais algumas danças e depois dirigir-me para o bar e ver se conseguia entrar nalguma conversa.

O típico sotaque escocês de uma senhora ao meu lado invadiu meus pensamentos.

— Você não vai ficar aqui sentado a noite toda feito mosca morta e perder todas essas danças, vai?

Virei-me para contemplar minha nova amiga. Um par de olhos cintilantes me prendeu em sua visada e me desafiou a responder. Ela ergueu as sobrancelhas maliciosamente, virando com leveza para cima os cantos da boca.

Eu encolhi os ombros encabulado e sorri.

— Não tem problema. Só estou olhando. Receio não conhecer os passos da dança.

E em seguida, num gesto repentino, sem sequer uma dica de resposta, a estranha me arrastou para o meio da folia. Agora eu já não tinha como recuar. Havia sido atirado no meio na dança.

No início, aguardei, sem saber o que fazer. Minha nova parceira deslizou para o centro do círculo e bateu palmas, e depois se pôs de novo ao meu lado.

— Sua vez! — disse ela com um sorriso e uma cutucada encorajadora.

Sem me dar conta disso, avancei para o centro, levado pela força viva da música e o embalo do movimento. Três passos rumo ao centro do círculo, com um bater de palmas e um grito, recuando depois de novo. Agora minha companheira e eu estávamos cara a cara. Primeiro, avançamos lado a lado numa oscilação fluida, nossos pés saltando levemente para a frente e para trás. A cadência animada me fez sorrir, e eu senti a insegurança se esvaindo. Mas minha recém-descoberta confiança gelou quando pensei: *O que é que vem depois disso?*

— Não se preocupe — disse ela numa voz tranquilizadora. — Apenas segure meus braços e me faça girar! Veja, assim!

Apertando forte, ela segurou meu braço direito com o dela, e cruzou seu esquerdo sobre o meu, e começamos a girar. Dando voltas e mais voltas fomos girando, rodopiando esbaforidos, cor e harmonia e riso tudo se misturando. Por um instante, o tempo parou, e o movimento era todo silêncio. No giro dos passos da dança, meu coração, antes tão inquieto e incerto, relaxou. Nossos pés viravam, mergulhando e girando, como lançadeiras passando através de um tear, milagrosamente nunca se encontrando, mas simplesmente circulando entre e ao redor um do outro. Com a mesma rapidez com que aprendi os passos, o movimento tomou conta de mim, e me entreguei a ele com alegria. O rosto de minha amiga brilhava, um espírito alegre em nossos olhos.

Depois, tão repentinamente como tinha começado, a música chegou a sua cadência final, e fomos parando. Cada dançarino fez uma reverência a seu parceiro, rindo cordialmente, e minha amiga e eu nos apresentamos de modo apropriado. A noite voltou ao seu normal.

Em meu coração, eu já não era um mero observador aguardando do lado de fora. O espírito da dança me havia tomado e entretecido em seus padrões.

Estou agora muito mais habituado à minha vida aqui na Escócia, e sempre que posso, aproveito a oportunidade de participar da ruidosa experiência de uma *ceilidh*. Cada canção tradicional fala comigo como um velho conhecido amigo. Do requinte de "Gay Gordons" ao ritmo animado de "The Dashing White Sergeant" até a alegria da canção preferida das multidões, "Strip the Willow". A harmonia e a melodia podem entrar através dos ouvidos, mas elas refluem pelos pés. Os ritmos antigos dessas danças se tornaram tão familiares como a chuva, e quando ouço a banda começar, sinto de novo aquela primeira experiência jovial. Não consigo evitar. Entro na folia, retornando àquele sentimento de transcendência que está à espera logo além da margem da música.

Solte-se e dance

Amigo, depois de uma longa e animada jiga, nossa canção está chegando ao fim, e todos os circunstantes estão começando a aplaudir. Como minha amiga fez por mim naquela animada noite escocesa, eu tomei você pela mão e o trouxe para o meio da dança. Eu lhe ensinei alguns dos passos e mostrei como seguir seus caminhos de um lado para outro no salão. Essa canção terminou. Mas a banda está afinando seus instrumentos, e certamente em breve tocará outra canção. O que você fará? Você pode simplesmente desaparecer na multidão de novo, afastar-se da luz e do entusiasmo e da exuberância, ficando na segurança do anonimato da multidão misturada nas margens. Ou então pode pular de novo no meio da folia, correr o risco e dar-se a oportunidade de aprender os passos de novo.

Não há nada mais que eu possa lhe ensinar que você não possa aprender na pista de dança do próprio mundo inteiro. A vida do Espírito está nessa dança, na disposição de participar dela e entrar em contato com o mundo concreto, tangível que o cerca. Espero que a esta altura você consiga perceber que a vida dos sentidos não é algo a ser explicado ou entendido. É algo a ser *experimentado*, um chamado de clarim para a *participação*. Sim, há riscos. Você pode falsear um ou dois passos ou apanhar-se girando para a esquerda quando todo mundo está girando para a direita. Inevitavelmente você tropeçará de vez em quando. Mas, apanhado no meio da dança, você será levantado de novo pela mão de Jesus, que é o mestre da dança, aquele por quem a dança passou a existir e aquele que a leva adiante. O mundo gira dando esplêndidas cambalhotas, movendo-se por intermédio da visão, da audição, do paladar, do tato e do olfato. Em cada uma dessas expressões, Jesus lhe estende a mão, por meio de sua experiência, convidando-o a seguir o ritmo dele e a conhecer a exultação de seu esplêndido movimento no mundo. Pois o mundo inteiro é dele, e ele ama tudo o que criou.

Que todos os seus passos sejam abençoados, amigo. Que a dança se torne um ritmo familiar e amado com o acompanhamento do Espírito Santo. E que em cada movimento no mundo você encontre o Senhor que o ama e que nunca deixará de lhe estender a mão em tudo, até mesmo em seus sentidos.

NOTAS

Introdução

[1] *Hungry*: Kathryn Scott, "Hungry (Falling on My Knees)", *Hungry (Falling on My Knees)* © 1999 Vineyard Music; *Desperate*: Hillsong Worship, "Touch of Heaven", *There Is More* © 2018 Capitol Christian Music Group; *Open*: Paul Baloche, "Open the Eyes of My Heart", *Open The Eyes of My Heart* © 2000 Integrity Music.

[2] Lulu-Garcia Navarro, "'Dirt Is Good': Why Kids Need Exposure to Germs", NPR, 16 de julho de 2017, <https://www.npr.org/sections/health-shots/2017/07/16/537075018/dirt-is-good-why-kids-need-exposure-to-germs>.

[3] Alister E. McGrath, *Christian Theology: An Introduction*, 5ª. ed. (Malden, MA: Wiley-Blackwell, 2011), p. 188.

Capítulo 1

[1] J. R. R. Tolkien, *The Silmarillion*, ed. Christopher Tolkien (Londres: HarperCollins, 1998), p. 17. [No Brasil, *O Silmarillion*. Rio de Janeiro: HarperCollins Brasil, 2019.]

[2] Leonard Cohen, "Anthem", *The Future* © 1992 Columbia.

[3] A história seguinte é uma criativa adaptação de Marcos 8.31-33 e 9.2-8.

Capítulo 2

[1] Hans Boersma, *Heavenly Participation: The Weaving of a Sacramental Tapestry* (Grand Rapids, MI: Eerdmans, 2011), p. 24. Ênfase acrescentada.

[2] C. S. Lewis, "Bluspels and Flalansferes: A Semantic Nightmare", *Selected Literary Essays*, ed. Walter Hooper (Cambridge: Cambridge University Press, 2013), p. 265.

[3] St. Augustine, *Confessions*, trad. Benignus O'Rourke (Londres: Darton, Longman and Todd, 2017), p. 3.

[4] "Selected Liturgical Hymns", Orthodox Church in America, acesso em 11 de março de 2020, <https://www.oca.org/orthodoxy/prayers/selected-liturgical-hymns>.

[5] Alexander Schmemann, *For the Life of the World: Sacraments and Orthodoxy* (Yonkers: St. Vladimir's Seminary Press, 1997), p. 102.

[6] S. D. Smith, *The Green Ember* (Beckley, WV: Story Warren Books, 2014), p. 220.

[7] The Episcopal Church, *The Book of Common Prayer*, 2016, edição revisada, acesso em 11 de março de 2020, <https://episcopalchurch.org/files/bcp_04-28-2017.compressed_0.pdf>.

[8] Robert Taft, *Liturgy of the Hours in the East and West: The Origins of the Divine Office and Its Meaning for Today* (Collegeville, MN: The Liturgical Press, 1986), p. 350-51.

[9] C. S. Lewis, *Surprised by Joy* (Londres: William Collins, 2016), p. 209. [No Brasil, *Surpreendido pela alegria*. Rio de Janeiro: Thomas Nelson Brasil, 2021.]

[10] Madeleine L'Engle, *Walking on Water: Reflections on Faith and Art* (Colorado Springs: WaterBrook, 1998), p. 17.

[11] Ibid.

[12] Ibid., p. 56.

Capítulo 3

[1] Alfred Lord Tennyson, *In Memoriam A. H. H.*, canto 56, 1ª estrofe.

[2] Ibid., 4ª estrofe.

[3] Ibid., 5ª estrofe.

[4] Ibid., 7ª estrofe.

[5] G. M. Hopkins, "God's Grandeur", em *Poems of Gerald Manley Hopkins*, ed. Robert Bridges (Londres: Humphrey Milford, 1930), p. 26. [A tradução do poema aqui utilizada é de Aíla de Oliveira Gomes, em Gerald Manley Hopkins, *Poemas*. São Paulo: Companhia das Letras, 1989, p. 81.]

[6] Ibid.

[7] *The Tree of Life*, dirigido por Terrence Malick (Los Angeles: Fox Searchlight Pictures, 2011), DVD.

[8] Ibid.

[9] Ibid.

[10] Saint Francis, "The Canticle of Brother Sun", em *Francis and Clare: The Complete Works*, trad. Regis J. Armstrong e Ignatius C. Brady (Nova York: Paulist Press, 1982), p. 38.

[11] Ibid., p. 39.

[12] Ibid.

[13] J. R. R. Tolkien, *On Fairy Stories*, eds. Verlyn Flieger e Douglas A. Anderson (Londres: HarperCollins, 2008), p. 77.

Capítulo 4

[1] Citação extraída de "Proms 2014: Commemorating the Outbreak of WWI com John Tavener e The Tallis Scholars", *The New Statesman*, 5 de agosto de 2014, <https://www.newstatesman.com/culture/2014/08/proms-2014-commemorating-outbreak-wwi-john-tavener-and-tallis-scholars>.

[2] William Blake, "The Lamb", extraído de *The Complete Poetry and Prose of William Blake*, ed. David V. Erdman (Berkeley, CA: University of California Press, 2008), p. 8.

[3] Ibid.

[4] Gregory of Nyssa, "Treatise on the Inscriptions of the Psalms", trad. Ronald E. Heine, em Ronald E. Heine, *Gregory of Nyssa's Treatise on the Inscriptions of the Psalms: Introduction, Translation, and Notes* (Oxford: Oxford University Press, 2001), p. 90.

[5] Ibid., p. 91.

[6] Hans Boersma, *Embodiment and Virtue in Gregory of Nyssa: An Anagogical Approach* (Oxford: Oxford University Press, 2013), p. 70.

[7] The Episcopal Church, *The Book of Common Prayer*, edição revisada de 2016, acesso em 11 de março de 2020, <https://

episcopalchurch.org/files/bcp_04-28-2017.compressed_0.pdf>, p. 112. [Tradução extraída do *Livro de Oração Comum brasileiro*, Diocese do Recife, Comunhão Anglicana, 2008, <https://www. anglicananobrasil.com/on/loc-livro-de-oracao-comum/>, p. 557.]

[8] John O'Donohue, *Beauty: The Invisible Embrace* (Nova York: Perennial, 2004), p. 62.

[9] Ibid.

[10] Olivier Messiaen, "Préface", citado em Richard D E Burton, *Olivier Messiaen: Texts, Contexts, and Intertexts (1937-1948)*, ed. Roger Nichols (Nova York: Oxford University Press, 2016), p. 44.

[11] Rebecca Rischin, *For the End of Time: The Story of the Messiaen Quartet* (Ithaca, NY: Cornell University Press, 2006), p. 69.

[12] James MacMillan, "God, Theology and Music", *New Blackfriars* 81, n. 947 (janeiro de 2000): p. 17.

[13] "The 'O Antiphons' of Advent", United States Conference of Catholic Bishops, acesso em 11 de março de 2020, <http://www. usccb.org/prayer-and-worship/prayers-and-devotions/prayers/ the-o-antiphons-of-advent.cfm>.

[14] Jonathan Arnold, *Sacred Music in Secular Society* (Londres: Routledge, 2016), p. 38.

[15] Ryan O'Neal, "Saturn", em Sleeping At Last, *Atlas: Space II* (Wheaton: Astroid B-612, 2013), registro em mp3.

Capítulo 5

[1] "Second Council of Nicaea – 787", em *Decrees of the Ecumenical Councils*, ed. Norman P. Tanner, trad. Joseph Munitiz, William Rearsall, Edward Varnold, et al. (Londres: Sheed & Ward; Washington, DC: Georgetown University Press, 1990), p. 135.

[2] Ibid., p. 136.

[3] Eugène Burnand, *The Disciples Peter and John Returning to the Supulcher on the Morning of the Resurrection*, 1898, óleo sobre tela, 83 x 135,5 cm, Museu d'Orsay, em Paris, <https://www.musee-orsay.

fr/fr/oeuvres/les-disciples-pierre-et-jean-courant-au-sepulcre-le-matin-de-la-resurrection-9239>.

Capítulo 6

[1] René A. Spitz, "Hospitalism: An Inquiry into the Genesis of Psychiatric Conditions in Early Childhood", *Psychoanalitic Study of the Child* 1, n. 1 (1945): p. 53-74.

[2] Wendell Berry, *Sex, Economy, Freedom and Community: Eight Essays* (Nova York: Pantheon Books, 1993), p. 122.

[3] "Ubi Caritas", *Thesaurus Precum Latinarum*, acesso em 13 de julho de 2020, <http://www.preces-latinae.org/thesaurus/Hymni/UbiCaritas.html>.

[4] "Ubi Caritas," *Thesaurus Precum Latinarum*, <http://www.preces-latinae.org/thesaurus/Hymni/UbiCaritas.html>. Acesso em 13 de julho de 2020.

[5] Henri J. M. Nouwen, *Life of the Beloved: Spiritual Living in a Secular World* (Nova York: Crossroad, 2002), p. 59.

[6] Ibid., p. 63-64.

[7] Ibid., p. 112.

[8] Michelangelo Merisi da Caravaggio, *The Incredulity of Saint Thomas*, 1603, óleo sobre tela, 107 x 146 cm, Sanssouci Picture Gallery, Potsdam, <https://www.caravaggio.org/the-incredulity-of-saint-thomas.jsp>.

[9] Mother Teresa, *A Simple Path*, comp. Lucinda Vardey (Nova York: Ballantine, 1995), p. 79.

[10] Conforme citada em Dave McAuley, *Summit Life Today: 101 Inspirational Leadership Lessons* (Bloomington, IN: WestBow Press, 2015), cap. "Helping the Poor".

Capítulo 7

[1] Peter C. Bouteneff, *Arvo Pärt: Out of Silence* (Yonkers, NY: St Vladimir's Seminary Press, 2015), p. 143.

[2]"J. S. Bach St Matthew Passion: Text, Translation and Musical Notes", trad. Robert Minett e Anja Haerchen, Aberdeen Bach Choir, acesso em 12 de março de 2020, <http://www.aberdeenbachchoir.com/April2012/April2012DetailedMusicNotes21.html>.
[3]Ibid.
[4]Joseph Ratzinger e William Congdon, *The Sabbath of History* (Washington: DC: William G. Congdon Foundation, 2000), p. 38.
[5]Ibid., p. 40.
[6]Ibid., p. 42.
[7]Bonaventure, *The Journey of the Mind into God*, trad. Oleg Bychkov, p. 49, <http://web.sbu.edu/theology/bychkov/itinerarium_oleg.pdf>. [No Brasil, *Itinerário da mente para Deus*. Petrópolis, RJ: Vozes, 2012.]
[8]Ibid., p. 50.
[9]Wolfgang Sandner, *Program Notes for Arvo Pärt's Tabula Rasa*, trad. Anne Cattaneo, ECM New Series 1275, 1984, compact disc, conforme citado em Marguerite Bostonia, "Bells as Inspiration for Tintinnabulation", em *The Cambridge Companion to Arvo Pärt* (Cambridge: Cambridge University Press, 2014), p. 128.
[10]Bouteneff, *Arvo Pärt*, p. 36.
[11]Ibid., p. 40.
[12]Ibid., p. 42.

Capítulo 8

[1]Presbyterian Church in America, *Westminster Confession of Faith and Catechisms* (Lawrencewille, GA: Christians Education and Publications Committee of the Presbyterian Church in America, 2007), p. 355, <https://www.pcaac.org/wp-content/uploads/2019/11/ShorterCatechismwithScriptureProofs.pdf>. Ênfase acrescentada.
[2]"Man", Orthodox Church in America, acesso em 10 de março de 2020, <https://oca.org/orthodoxy/the-orthodox-faith/spirituality/orthodox-spirituality/man1>.

[3] Catechism of the Catholic Church, “Section One: ‘I Believe’— ‘We Believe’”, The Holy See, acesso em 10 de março de 2020, <https://www.vatican.va/archive/ENG0015/__P8.HTM>.

[4] Anglican Church in North America, *The Book of Common Prayer and Administration of the Sacraments with Other Rites and Ceremonies of the Church* (Huntington Beach, CA: Anglican Liturgy Press, 2019), p. 16, <http://bcp2019.anglicanchurch.net/wp-content/uploads/2019/08/BCP2019.pdf>. O asterisco indica uma pausa entre o chamado e a resposta da antífona.

[5] Robert Farrar Capon, *The Supper of the Lamb: A Culinary Reflection* (Nova York: Random House, 2002), p. 188.

[6] Ibid., 189.

[7] ICEL, “The Order of Mass”, extraído da *English Translation of the Roman Missal* (Londres: Catholic Bishops’ Conference of England and Wales, 2011), <https://www.liturgyoffice.org.uk/Missal/Text/MCFL.pdf>.

[8] George Herbert, “Love”, em *The English Poems of George Herbert*, ed. Helen Wilcox (Cambridge: Cambridge University Press, 2007), p. 661.

[9] Ibid.

[10] Ibid.

[11] “Holy Communion Service”, The Church of England, acesso em 10 de março de 2020, <https://www.churchofengland.org/prayer-and-worship/worship-texts-and-resources/common-worship/holy-communion-0>. [Tradução extraída do *Livro de Oração Comum brasileiro*, Diocese do Recife, Comunhão Anglicana, 2008, <https://www.anglicananobrasil.com/on/loc-livro-de-oracao-comum/>, p. 169.]

[12] Conforme citado em Josef Pieper, *Guide to Thomas Aquinas* (São Francisco: Ignatius Press, 1991), p. 158.

Compartilhe suas impressões de leitura,
mencionando o título da obra, pelo e-mail
opiniao-do-leitor@mundocristao.com.br
ou por nossas redes sociais

Esta obra foi composta com tipografia Adobe Caslon Pro
e impressa em papel Pólen Natural 70 g/m² na gráfica Imprensa da Fé